雪漠诗说老子

雪漠 著

人民文学出版社

图书在版编目(CIP)数据

雪漠诗说老子／雪漠著.—北京:人民文学出版社,2022
ISBN 978-7-02-016921-4

Ⅰ.①雪… Ⅱ.①雪… Ⅲ.①道家②《道德经》—研究 Ⅳ.①B223.15

中国版本图书馆 CIP 数据核字(2022)第 033440 号

责任编辑　陈彦瑾
装帧设计　刘　远
责任印制　任　祎

出版发行　人民文学出版社
社　　址　北京市朝内大街 166 号
邮政编码　100705

印　　刷　北京盛通印刷股份有限公司
经　　销　全国新华书店等

字　　数　172 千字
开　　本　880 毫米×1230 毫米　1/32
印　　张　16.75　插页 3
印　　数　1—20000
版　　次　2022 年 4 月北京第 1 版
印　　次　2022 年 4 月第 1 次印刷

书　　号　978-7-02-016921-4
定　　价　65.00 元

目 录

序｜一首诗解读老子

我在十九岁那年，开始学习《老子》。初不求甚解，只是背诵。后来，边实证，边参悟，边看诸家注本，到五十多岁的时候，觉得能感知到老子的文化脉搏了，才写了《老子的心事》。这套书共有六辑，先出版了两辑，反响强烈，一些企业将其作为培训员工的教材。

2019年10月18日，我与德国著名汉学家顾彬先生在法兰克福书展有过一个关于《老子》的对话。顾彬先生认为，在历史上，《老子》的传播有四个阶段：

第一个阶段，是帝王传播阶段，侧重于治理国家，帝王们在培养接班人时，《老子》是必修课，以是故，老子被称为帝王之师；

第二个阶段，是贵族传播阶段，侧重于修身养性，修齐治平；

第三个阶段，是知识分子传播阶段，侧重于考证注释，诞生了大量的关于《老子》的注本；

第四个阶段，是百姓传播阶段，侧重于生活妙用。这方面的作品，他提到了我的《老子的心事》。

《老子的心事》有二百多万字，写它时，我强调传统经典与日常生活的结合，学以致用，学用结合，让经典智慧熏染生命成长，用我的话来说，就是"让文化成为生活方式，自利利他完善人格"。但因为篇幅太长，当代人不一定有时间读完，我就想，为了方便读者，再写一本概论性的吧，不要太长，也不要传统的注译，而要以简短的篇幅，让人能透过字面，直接领悟老子心要。于是，我用哲理长诗的形式写了"诗说老子"，为了便于理解，又增加了原文（以王弼通行本为底本）、意译和导读，就成本书了。

本书算是《老子的心事》系列的精要。《老子的心事》虽以讲《老子》为主，其建构之世界，却比《老子》更加复杂 —— 因为时代也复杂了很多 —— 把《老子》讲了和没讲的，都囊括其中了。本书自然也是如此。只是，比起《老子的心事》六册二百万字的篇幅，读完这一本十多万字的小书，显然容易得多。

对于不能静心，无法进入此诗意世界的读者，也许还是《老子的心事》门槛更低。可一旦您能沉淀下来，沏一壶茶，燃一炉香，再放上一曲悠扬的古琴曲，这本书带给您的阅读体验，就是《老子的心事》所不能及的。喜爱我文学作品的朋友，定然明白两者的异同。相同的是，两者都是智慧的杯子 —— 一个是粗陶的，有点笨拙，但掏心掏肺，一个是白瓷的，细腻精美，同样溢满真诚；一个拙朴直白，语重心长，一个直指人心，不但能给您智慧的启迪，也能给您诗意的感动。任取其一，或两者皆选，都好，随您。

毕竟，这本小书虽只有十多万字，却也是我花了黄金般的生命写的。

记得，那一个个漆黑的凌晨，整个世界都在沉睡，我已打开电脑，展开文档，将心意和诗意流淌其上。

于我，那是最快乐的时刻。

能健康地活着，自由地做一些于世界有益的事，已经很快乐了，还有比这更开心的活法吗？

我们都会老去，我们正在老去。一切都在消失，我们终究亦然。留下一点诗意和感悟吧，先温暖和启迪自己，再温暖和启迪他人。

我的所有作品，都是为了读者需要而写，这本书亦然。

人们总爱追逐美食、美声、美色，我也一样喜欢，只是我总守持着"弱水三千，只取一瓢饮"的态度对待一切，再好吃的食物，我也只是浅尝辄止，将美味留给别人；再好听的音乐，我也不会沉迷其中，忘记自己该做的事；再好看的画面，也不能让我流连忘返，我总会回到这一方小小天地，点亮一盏灯，在宁静的陪伴下，将经典和天地万物赋予我的一切智慧和诗意，都倾洒在这文档之上，渐渐地，一个个字便出现了。

我的所有作品，都是这样写出来的。

您或许也能读懂我心中的沉醉。

所以，在这本书中，我不跟您说大道理，不跟您谈人生，我们只谈心中的感悟和诗意，如何？比如眼中的那点光，比如大自然的耳语，比如老子穿越千年时空，来到我案前，用深沉的眼神传递我的那些难言的思与诗。

所以，读了这本书，您或许就能触摸到老子的心。

他当然没有遗憾，除了智慧，他的心中还有诗。

本书的一行行短句，也是智慧和诗意的陶醉。

愿您在阅读此书时，也能陶醉于远古的玄思与诗意，在陶醉的同时，看到心中那抹小小的，却坚定明亮的光束，穿越它，您就穿越了时空之门，穿越了大道之门。

您在那门外，会遇到我，当然，也会遇到他。

——哪个他？

您说呢？

或者，您也可以把此书当成生命中的一盏小灯，让它带给您一点温暖，一点启迪。在您感到前路茫茫，不知所往时，您可以打开它，静静地读上几行，或许，您会有意想不到的收获，或许，您的心灵会被照亮。

至少，这是我寄予这本书的祝福。

——愿读者们吉祥安好，愿诗意之美柔软您的心灵，愿智慧之光彻照您的生命，愿心灯不灭您永远昂首前行。

雪　漠

2021年9月21日中秋

1.开篇的难题

[原文]

道可道，非常道；名可名，非常名。无，名天地之始；有，名万物之母。故常无，欲以观其妙；常有，欲以观其徼。此两者同出而异名，同谓之玄。玄之又玄，众妙之门。

[意译]

可以用言语来表述的，不是真正的道；可以用言语来说明的，也不是真正的名。无即是真空，是天地的起点；有则是妙有，为万物的母体。若能安住于真空境界，就凝神观察道的本体；若杂念纷飞，就从有中去体察道的端倪。虽然表述不同，但它们的源头相同，都会让你进入玄之又玄的大道境界，我们统称为玄妙。

[导读]

每个人生来都是无名氏，都是等待命名的"天外来客"。不必自怜，不必凄惶，天与地，日与月，万物无不如此。最大的无名氏，就是那个无法言说的名字。

骑牛的老者渐渐近了，他当然也知道，他即将说出的这个名字，将有多么重要；但他也知道，这个名字将是多么令人费解。但总得说的，不是吗？

于是，他说出了那个玄妙的字——道，并且附送了一堆同样难解的词：无名、有名、常无、常有、无欲、有欲、玄之又玄、众妙之门。它们就像进入宝藏前的重重关卡，若是人们无法理解它们，也就理解不了道了——要知道，它们虽然只是一堆概念，却也是道的路标。而道，则是那个它们能够承载，却不能代表的存在——万物的母亲。

所以，不必在乎名字，也不要被名字束缚，你知道，无论哪个名字，都说不尽道的神秘和奥妙。

[诗说]

你总是说那个古老的字，

那个字已锈迹斑斑，

像被绿锈覆盖的青铜器。

总觉得它离我们好远，

看不出它本来的颜色。

它是道吗？

是，也不是。

它总是隐在朦胧的晨雾里，

幽远昏暗，无声无形。

我可以叫它"道"，

但你知道，

这个杯子太小，

装不下它的本义。

在那个盘古抡大斧之前，

它就盈盈而笑了。

它的肚皮非常大，

盛着日月星辰，

盛着形形色色的万物。

也盛着你，盛着我，

盛着那个叫李耳的老者，

盛着他的青牛，

还盛着那本叫《老子》的书。

那肚皮虽大却也微小而无形，

无形无相故无边无际，

无边无际故能容天地，

微小到极致则成万物之母，

天地万物皆以它为本原，

由它为起点而生发。

还有那德，它是万物安形的保障。

只要超越好恶与成见，

远离个人情绪的捉弄，

你便能体道而明德，

回到那妙之又妙的源头。

当欲望潮汐涨潮时，

你可以安住在那个字里，

观那份奇妙，

观那份觉悟，

也观它背后的秘密。

安住在那秘密的境地，

你就能觉出它无与伦比的大美。

可你瞧，那纠结于词汇的小伙儿，

又皱起了他的八字眉，

他推了推眼镜问，

你说的那个它，

边界到底在哪儿，

经纬各是多少，

在哪张地图可以找到？

你笑着摆了摆手 ——

我不知道，

你不知道，

世界也不知道。

那真是一个奇妙的洞，

我们叫不出名字，

但我们知道，

这是一个通幽的曲径，

走来的，

是一个神秘到不可知的女子。

在后来的称谓里，

我们叫她玄牝之门。

何谓玄牝?

玄为玄妙,牝为母性,

玄牝便是玄妙的母性 ——

大地之母,万物之母,

现象之母,宇宙之母 ……

你瞧,

"母"真是一个伟大的字眼,

她微微一笑,

世界就出生了,

万象就开始生发。

无数个故事的诞生,

也来源于大道母亲的子宫。

但你看不见她,

她是一位隐形的女子 ——

我该称之为女子吗?

还是只说老子给她的那个称呼,

"玄牝之门"?

那玄牝之门好生奇妙,

高到三十三天之外，

深到摸不着她的底。

她包裹了天地，

禀受着无形之源，

如同那不尽的长江，

总是滚滚而来，

又滔滔而去。

她能让混浊变得清净，

她弥漫一切无固定之所，

她朝朝暮暮都吐着生气，

她含阴吐阳刚柔相济，

她幽暗又光明，

她内敛又张扬，

她持玄德于心，

她施造化与人。

她手中托着日月星辰，

她腹内孕育地水火风。

她穷无穷，

她极无极，

她照物而不耀，
她响应而不知。

峻岭因她而高耸，
瀚海因她而深邃，
她让兽顺行天下，
她让鹏飞翔万仞，
她让星辰运行不悖，
她让万物安享宿命。

她能以亡取存，
她能以卑取尊，
她能以退取先，
她是宇宙万物的主人。
我们勉强名之以大道，
那大道总隐藏于万物之中。

大道之体虽尊贵难识，
大道之用却高下有分。
布绢做成冠会戴在头上，
做成鞋却要被踩在脚底。

黄金成圣像受万民祭拜，

做成尿壶又臭不可闻。

事物虽然不离开大道，

却因为名相而有了尊卑。

2.母亲的彩虹衣裳

[原文]

天下皆知美之为美，斯恶已；皆知善之为善，斯不善已。故有无相生，难易相成，长短相形，高下相倾，音声相和，前后相随。是以圣人处无为之事，行不言之教。万物作焉而不辞，生而不有，为而不恃，功成而弗居。夫唯弗居，是以不去。

[意译]

天下人都知道什么是美；说明丑很普遍；天下人都知道什么是善，说明恶很寻常。所以，有无、难易、长短、高下都在相互映衬。打破相对概念，心声与外音无分彼此，就进入了道的境界，这是无数前因所造成的后果。所以，圣人不以概念教化世人，而是以无执的行为启迪世人。圣人也不会干涉万物的运作，更不会居功，因此也就不会失去功劳。

[导读]

要想认识大道母亲，人们要走的路还长着呢！

瞧，智者为了帮助人们走快点，又送来了一波思想风暴：打破人人皆习以为常的认知标准吧！

人人都以为美的东西，在道的标准来看，就不一定是美；人人都以为是善的东西，在道的标准来看，就不一定是善。如果人们不能打破单一思维的局限，而总是被感觉所欺骗，怎么能认清大道母亲呢？

看得见的都只是现象，看不见的才是本质。只有学会了正确地看，才能看到母亲的真容。她那极致丰富、极致绚烂的容光和神采，需要人们有一双智慧的眼睛和一颗本真的心灵。

而智者，不但会看，还会做，他们的言行，正是大道母亲的言行。我真怕世人误解了他们。你瞧，他们也太低调啦，不见有什么大动作，也没听他们说什么豪言壮语，就那么一副寻常的模样，默默地做自己的事。

所以，打破习以为常的认知吧，它们只是你心中的幻影。

无论高下、长短还是前后，无论对错、内外还是美丑。

　　但我知道这不容易，我也看出了你的困惑，只是不知道，怎样的表述才能让你明白，概念跟真相总是差了一层，那一层，便是心的造作。

　　于是，我穿越千年时光找到了他——那个白胡子的老者。他坐在一块大石头前，正凝望着月亮，那头著名的青牛，就卧在他的脚边。

　　老者听完我的请求，淡淡地笑了，他的笑中似乎藏着无奈——是啊，这叩问，已响了千年。然而，只要有人在问，他就会回答。他总是那样淡淡的，但他的心在千年后还热着。

　　于是，他的意，流经我的心、我的口，汩汩而来——

[诗说]

　　　　那女子真是善到了极致，
　　　　她的双眼流出柔波，
　　　　她的唇间笑语盈盈，
　　　　她只需轻轻一吹，
　　　　尘埃就成了花火，
　　　　灿烂的同时已融入虚空。

她的面颊也如春水，

吹弹得破。

你不由得叹道，

"好一种大美呀！"

可她的五彩虹衣，

照亮了你的眼睛，

世间才多了无尽的糠秕。

有她的日子里，

一切总显得空旷。

空旷中有点点流萤，

忽隐忽现，

巧笑倩兮。

于是我看到，

有生于无，

无孕于有，

难中有易，

易中有难，

有长才有了短，

有高才有了下，

有妙音才有了回声，

有前行才有了后随。

于是她只是默默地望着，

她总是不说啥，

但眼前的万物，

仍在疯狂地生长。

瞧，她明明在耕种，

却不想收获什么，

她有那么多的孩子，

却不想去占有他们。

于是，

那些纷纭的万物，

便围在她的身边，

笑出世上最美的色彩。

相传那古代的三皇，

就得到了她的法统，

他们立于山河大地的中央，

精神与她合为一体。

他们遨游天下安抚万民，

他们自然而然天地亨通，

他们兴风，他们起云，

水潺潺而流向十方，

万物像流水般运行，

百姓能得到恩泽，

诸相能应对无穷。

他们顺大道而施德政，

他们以正大和谐万民，

他们以无为顺应四时，

他们以素朴调和五行。

禽兽得以硕大，

草木润泽而繁荣，

鸟卵安居巢中，

无刀剑以铸犁，

不贪欲故不兴兵，

兄无哭弟之泪，

父无丧子之痛，

孩童不会成孤儿，

妇人不会成寡妇，

盗贼不出，

恶风不生。

志弱安静能成大事，

淡然无执动不失时，

这都是大道母亲的无为之功。

3．半空中的笑

不尚贤，使民不争；不贵难得之货，使民不为盗；不见可欲，使民心不乱。是以圣人之治，虚其心，实其腹，弱其志，强其骨。常使民无知无欲，使夫知者不敢为也。为无为，则无不治。

不崇尚能人，百姓就不会攀比；不推崇珍宝，百姓就不会盗窃；不提倡欲望，民心就不会迷乱。所以圣人治国提倡虚心待人、强身健体，同时保证百姓的温饱，让百姓不去胡思乱想，减少贪执。只要民风淳朴知足，贪婪算计的人就会有所收敛。所以，无为而治，就什么问题都会消失。

[导读]

看啊，欲望的洪流正滚滚而来，那里有美名，有奇珍，有各种美好之物。心在骚动，六根被吸引，本初的纯真被污染，天性的良善被遗忘，灿烂的笑容如阴天里的太阳，被贪执的乌云掩盖。

大道母亲的呼唤，已远在天边。

我们是怎么渐渐远离了大道母亲的呢？

我知道，那是一股几乎难以抗拒的力量，它来自我们自己。那力量拖曳着我们，奔向另一个方向。那里有美名，那里有奇珍，那里有各种各样我们想要拥有的东西——唯独没有大道母亲。

我们的心、我们的记忆，离开得太久了。我们忘记了那本初的纯真，忘记了天性中的和平良善，忘记了无须任何理由的快乐，忘记了一无所有却无所不有的满足……

忽然，智者的声音传来：向心内凡夫的欲望宣战吧！

不要去争着做什么世间的圣贤，那只不过是斗牛士手中的小红旗；不要贪恋什么难得的宝物，那是悬挂在驴子面前的胡萝卜。内心的宁静才是最珍贵的珍宝啊！

回归的路上，母亲的笑脸在空中依稀可见，那不变的笑中，是满满的期待：孩子，回来吧，回到天真无邪的你，回到快乐无忧的你，回到无争无欲的你……

于是，一个声音横空响起，它苍老、平静，却蕴藏着无穷大力……

[诗说]

那女子总是笑着，

——不知道是不是该称她为母亲？

我看不出她夸奖谁，

她并不偏爱哪一个。

她只是用那双善睐的美目，

静静地望着她的孩子。

她的眼眸中透出喜悦，

一切纷争在静默中融化。

融化后的世界一片祥和，

那是一种镜子样的海面，

没有波浪的时候，

便能照见清澈的天空。

瞧呀，

在那片天空中，

有空旷的清明，

有丰美的食物，

有坚实的构架，

无坚硬的偏见 ……

那真是一种大空吗？

真的是无知无欲吗？

我不想问，我也没有言语。

我只望着那无尽的虚空，

望着那自然的生发和凋零。

当万物皆俯仰自得时，

我眼中的一切，

都融入母亲的笑里。

母亲的笑好生感人，

像深秋里吹来暖暖的熏风。

母亲的爱好生包容，

像头顶那无垠的宇宙和时空。

她生育万物而不占有，

她化成万物而不主宰，

万物依道而生而不知其德，

万物顺道而亡而不生怨恨。

她看似无为却能成就功业，

她难以窥测其真却不失其信。

亲近她可以内修成德，

亲近她可以外达治人。

那女子发出了清亮的声音，

好似山谷中百灵在啾鸣——

当君王以道治国的时候，

百姓就会自然归附，

社稷就会自然安宁；

当君王以德养民的时候，

百姓就会自然服从，

民心就会自然凝聚；

当君王善于处下不炫耀贤能的时候，

百姓就会息灭欲望，

民风就会自然质朴；

当君王不崇尚暴力的时候，

百姓就会自然柔顺；

天下就会自然和谐。

当诸侯有道时，

则社会和谐国泰民安；

当士庶有道时，

则能保全性命于乱世；

当强大者有道时，

则能所向披靡不攻而克；

当弱小者有道时，

则能处世和顺不争而得；

当做事者有道时，

则能功成得福心想事成。

简言之，

国家有道则风调雨顺，

君臣有道则贤惠忠良，

家庭有道则父慈子孝，

百姓有道则互爱互敬。

有道者如和风细雨，

无道者如三九寒风。

行小道能得小惠，

得大道可王天下。

有道明君治世的时候，

君能安其道，

臣能安其节，

农民安其耕，

士能安其职，

百姓乐其业，

草木安其茂，

风雨安其时，

万物皆俯仰自得，

自然而然中安享天命。

却常常有一些失道者，

横征暴敛与民争利，

毫无仁心杀戮无度。

谏士受刑贤人被杀，

奢侈无度骄慢无礼，

自作聪明刚愎自用，

到处作难结怨祸乱天下，

致使身受灾殃国家灭亡。
所以无道是最大的罪，
无德是最大的怨。

要是世界和平海晏河清，
愚人也明白一人难以作乱；
要是天下大乱生灵涂炭，
君子也明白一人难以治理。
许多事情决定于时势，
时势能造英雄，
英雄随顺时势，
人很难超越时代，
只有在世界需要圣人时，
圣人才会应运而生。

4. 神奇的口袋

[原文]

道冲，而用之或不盈。渊兮，似万物之宗；挫其锐，解其纷，和其光，同其尘；湛兮，似或存。吾不知谁之子，象帝之先。

[意译]

道体湛然空寂又有无穷活性，其作用也是无穷无尽，深奥得就像万物的祖宗和母体。挫平锐气，消除纷扰，收敛光芒，混同于尘世，就会进入它的境界。它没有可见的形体，既像存在又像并不存在。我不知道它是谁的孩子，它似乎比天帝还要古老。

[导读]

大海中有条执着的小鱼儿，它不停地问着同一个问题："是谁创造了大海？她现在在哪里？"很多鱼都被问蒙了，它们从没想过这个问题。它们只能摇着一思考就眩晕的脑袋，说："想这么多干吗？自在地游泳多好！"然后便潇洒地游走。

很多人都是这些潇洒的小鱼，他们也没想过那个问题。虽然他们偶尔也有疑问，但思考的眩晕总会让他们恐惧。于是，他们也晃着脑袋，将自己扔进不思考的人群，直到那热闹彻底腌透自己，就连他们也忘了自己——他们更加忘了世界，忘了创造世界的她，忘了心底曾涌上的那个问题。

只有那条小鱼还在问着。

日复一日，年复一年。

终于，那女子听到了小鱼的声音。

你瞧，她正在回答小鱼的问题……

[诗说]

我有个神奇的口袋，

它有多大我从不知道。

我常常装入我喜欢的东西，

但总是装不满它。

我总想掏尽里面的宝贝，

也总是掏不尽它。

当我将双手探入，

我触及的，

是一个深不可测的大海。

我知道，

它是世上万物的子宫。

那巨大的子宫中一片祥和，

没有可怕的锋锐，

没有纷扰的热恼，

一道道光明都化成了量子，

融入眼前的尘埃。

我探不到它的底，

我摸不到它的边际，

它明明隐没不见了，

却又触手可及。

我知道，

它无数的孩子里，

有一个最调皮，

我叫她造化的主子。

她积蓄而不富有，

她施舍而不贫穷，

她朦胧而不可想象，

她幽隐而变化无穷，

她随刚柔而舒卷曼舞，

她合阴阳而俯仰成功。

她应对世界时无往而不利，

她面向万物时无争亦无失去。

勇者不能动其分毫，

剑客舞剑也刺不中她；

壮士挥刀伤不了她，

后羿张弓也射不中她。

她爱天下而无我利他，

天下人也欣然爱欲利之，

无人生得起伤害之心，

大慈大悲时仁者无敌。

她没有封地却有王者威德，
没有官职却有人听命于她。

她居上位时有功不骄，
她居下位时虽贱不羞，
她兼爱无私善行天下，
这便是她无我的大仁。

她居上位时帮助弱小，
她居下位时坚守节操，
达时不妄为穷时不变节，
这便是她不变的大义。

她居上位时谦恭而严谨，
她居下位时守弱而不争，
她退让立身于不刚柔弱，
这便是她不争的大礼。

有大德时下属听其命令，
有大仁时下属不生纠纷，
有大义时下属正直公平，

守大礼时下属恒久尊敬。

道是万物生长的动因，
道遍及万物无处不有。
德是万物生长的契机，
无德则无以彰显道体。
仁者爱人如太阳照物，
无仁则天下充满纷争。
义要匡扶公平和正义，
无义则社会充满暴力。
礼是对行为的限制和规范，
礼坏乐崩会天下大乱。

那女子具备了德仁义礼，
却没有一点儿卖弄意味，
她端庄典雅气质高贵，
无形无名中沁人心脾。

5. 冷清的女子

天地不仁，以万物为刍狗；圣人不仁，以百姓为刍狗。天地之间，其犹橐籥乎？虚而不屈，动而愈出。多言数穷，不如守中。

[意译]

天地把万物当成替身和载体，一视同仁，没有偏爱；圣人也将百姓当成替身或载体，一视同仁，没有偏爱。天地万物不断变化，难道不像一个不停运作的大风箱吗？它看似空洞内有乾坤，因变化不止而生生不息。所以，与其说话太多乱了心神，不如保持沉默安住道体。

[导读]

你问，如果她真是我们的母亲，为何我感受不到她对我们的偏爱？人世间的母亲，不都偏爱自己的孩子么？

智者说，世人皆是刍狗。乍听令人心酸，想想又觉得释然。人们在祭祀时把草狗当成真狗，祭祀完了，就恢复成假狗，把它扔了。智者眼里，万物和世人从始至终都是"假狗"，是的，我们都是大道的载体。

既是载体，何来偏爱，又何来不偏爱？

在这世界上，我找不到任何一个被她偏爱的事物。四季更替，草木枯荣，花开花谢……一个新生命出生了，成长了，衰老了，最终归于尘土。我看不到一丝一毫的偏爱。

就连她展示自己的本性，也显得那么冷清。她虽是生生不息的万物之母，却一点也不喧闹，在极致的动中，只有极致的虚静。

是的，世人皆偏爱自己的孩子，天地和圣人却一视同仁。莫非，人类真是圣人的玩具吗？人类真跟花草木石一样？还是因为万物都是幻象，草木枯荣，四季更替，花开花谢，生死交替，一切都没有永恒的实体，故而不受偏爱，人人一样？

我好像听到，天边传来一个声音，他在解答我所有的问题。我于是凝神细听，那声音便由远及近，在天地间响起……

[诗说]

这真是一个冷清的女子，

我看不到一点儿轻佻。

我真想问问她，

你心中可还有一点儿爱？

你是否还会有那醉人的相思？

她微笑着望我，

笑而不语。

我便大了胆子继续说 ——

你的眼中一片空旷静寂，

万物都是你的玩具，

还有那些你看重的孩子，

也继承了你的冷寂。

那种冷来自天边，

天边有一个巨大的风箱，

正呼呼地拉个不停。

那风箱好大，

它的内膛里看不到鸡毛，
只有阵阵清风在向外喷出。

瞧，她笑了。
她将视线移到了别处，
她五彩的裙袂在尘风中飞舞，
我只是一个恍惚，
便已忘记了时间和年岁。
我不知道，
我看到的可是真实的她？
我是不是在用分别心的筷子，
测量那无分别的大道之海？

我还是闭嘴吧，
我说不清她的秘密，
我只在这种奇妙的静默中，
体味那女子无我的暖意。

那无我的暖意恬然无思，
在淡然无虑中心神安适，
她朗然空寂没有负担，

因淡泊名利无忧无虑。

大道母亲以苍天为车幡，

没有什么不能覆盖；

苍茫大地是她的车子，

没有什么不能载负；

春夏秋冬是她的骏马，

没有何处不能到达；

阴阳二气是她的车夫，

没有何物她不能使役。

瞧啊，她的脚步匆匆复匆匆，

她从不懈怠昼夜不息，

她游访天下无一丝困意。

她从无门之门中穿行，

在无路之处走出路来。

她袅袅婷婷款款而行，

却日行千里不觉劳累。

她不使用聪明但不损智慧，

故能泽及无量的众生。

她内修其德不粉饰外表，

她淡泊无欲而无所不为，

她顺应自然相机而动，

从不先于自然而强为。

她总是隐去了知见，

还原为一片烂漫天真。

就如一口古朴的大钟，

有人敲时才响彻苍穹。

当天下无事的时候，

她静若处子；

当天下有事的时候，

她动若脱兔。

她悉知各种变化和联系，

她洞见各种变迁的秘密。

她不因人的变化而改变天道，

外顺应万物却保持性情；

她因与道相通而总是清静，

能洞悉万物却顺其自然。

她总是以淡漠合神，

她总是以恬愉养志。

万物外相虽在眼前纷扰，

但进不了六门扰不了心。

这是修道的秘密啊，

堵塞那六门心便可无染，

待得制心一处功夫稳固，

俗世便无处不是清净妙音。

在此之前须顺应并拒绝，

清静时空中安养那本真。

要谨记半虚空中那妙语 ——

顺乎自然要与道为侣，

悦于红尘者便是俗流。

6．天地是个大风箱

谷神不死，是谓玄牝。玄牝之门，是谓天地根。绵绵若存，用之不勤。

[意译]

永恒不灭的大道能生养万物，因此被称为玄妙的母性力量。那玄妙的母性之力，便是天地万物的由来和根本。它看似细微但恒久长存，它的力量无穷无尽。

[导读]

她隐没了身为创造者的自己，只显现出她用来做创造游戏的道具。在那缥缥缈缈间，仿佛有一个巨大的风箱，它吞天吐地，永不止息，涌动的气流中，翻涌出无量无数的造物……

我惊讶，我好奇，我目不转睛，期待着一波又一波新奇的造物出现。我永远想象不出，下一个精彩的物事。

咿呀，我慨叹，我钦佩，为她那绵绵不绝的生命力，为她那无穷无尽的创造力。

我湿润了心，品味她绵绵无尽的爱意。我永远想象不到，大道这神奇的工匠，下一秒会创造怎样的景象。于是，一个个现象的改变和消失，伴随着一个个现象的诞生和发展，各种景象层出不穷，我的观察也乐此不疲。

可惜那造物的女子总是安静，总让人忽略她的存在。我只能安住于道体，小心翼翼，走向那女子。我的心里涌出声音，却不知那说话的人，是千年前的他，还是我自己……

[诗说]

　　　她的手中托着一个风箱，
　　　那一个风箱真的好大，
　　　像山谷那样，
　　　像子宫那样，
　　　像产道那样，

…… 不，

它就是一个天大地大的子宫。

瞧呀，

它生了天，

它生了地，

它生了你，

它生了我。

万物从那出风口飞出，

抖一抖身子，

就有了生命。

随了那清风飞出的，

还有一粒粒灵动的灰尘。

那尘粒呈粉红色，

像群蝇一样喧嚣，

闹嚷嚷四散开来，

红尘便出现了。

那红尘便是纷纭的诸心，

纷纭的诸心构成了红尘。

事物只是时间的浪花，

总是像大海泛沫一样，

在不断变化中灭灭又生生。

红尘的风好大，

吹乱了她的裙袂和长发，

却吹不乱她的心和眼睛。

她不管眼前诸相在变化，

只是安住在澄明境里。

遇到平路就直着走，

遇到泥泞就绕个弯，

因为她知道，

林中走路不要求直，

只要能走出密林便是上选；

遇险时不一定恪守规矩，

只求能脱险得以生存。

智者要效法圣人的精神，

而不照搬已成之法。

既要学习古人的原理和经验，

也要进行与时俱进的创造。

若是拘泥于过去的规则，
盲目否定与时俱进的变通，
就好像用胶纸粘住瑟柱，
想用一弦来弹奏诸音。

圣人要随顺时势之变，
像狂风之中翻飞的柳枝。
世道变迁事亦有变，
世道有异风俗亦移，
立法当符合时代特点，
做事要顺应时代需求。

她看轻天下的权柄，
她不求财物之丰盈，
她洞悉生死的奥秘，
她拥抱变化的世情。
她守定大道的本体，
她奉献无我的精诚。
她上顺天与道为侣，
她下应世变化为人。

她只学道之精髓，

而绝不死板拘泥。

她以物识物以人知人，

只遵循大道之理，

不夸大主观的力量，

因此当诸事发生的时候，

她会顺变而生。

万象虽有轨迹但不固定，

就像风中翻飞的蒲公英。

我看到一波波西风漫卷而来，

在西风中的古道上，

智者正像那匹瘦马，

在顺风而行。

7.隐身反倒不能忘

[原文]

天长地久。天地所以能长且久者，以其不自生，故能长生。是以圣人后其身而身先，外其身而身存。非以其无私邪？故能成其私。

[意译]

希望能像天地的寿命一样长久。天地之所以长生，是因为它们的运作不是为了自己。圣人也是这样，他们永远都把自己放在最后，甚至不在乎自己的身体，但他们往往能被人类所铭记——这难道不是因为他们无私吗？因为无私，反而能得到最大的利益。

[导读]

我曾仰头望向苍穹的深处，俯身深吸大地的芬芳。

我问：怎样和天地一样长久？

天地不语。

智者悄声而笑，送来了一阵清风般的耳语——

你何必羡慕那天地，要知道，那天地也有穷尽呐，就连那太阳，都不能够永恒。相对于宇宙，地球的寿命短暂如水泡；相对于地球，人的生死在眨眼之间。何不破除私欲，放飞自己，做那天地间翱翔的一只鹰，好好地享受活着。

于是，我渐渐地走进了那个老人的心，我看到他也在时光的尽头笑着。跟他相视而笑的，除了我，还有那个造物的女子。看啊，那是她的裙袂，正在时光中飞舞……

[诗说]

那个像风箱的山谷好生长寿，

没人知道它何时出现，

没人知道它何时消亡，

它活着不为自己，

它于是有着无尽的寿命。

我总是看到它隐在雾里，

它总想穿了那隐身衣。

可是，

大道母亲，

我咋能忘了你？

你却总是忘了你自己，

隐身在无数个孩子里。

你更不是那贪心的母狗，

不会在过往之地撒尿，

我知道你没有自己的地盘。

你的无私像无边的大海，

千万道水流都流向你，

无私的你，

于是成就了浩瀚。

浩瀚的海里盛满了浩瀚，

鱼儿在游泳，

水草在跳舞，

珊瑚们都憋红了脸，

总想发出吓人的大笑。

你却静默着，
你不知道说啥好，
啥都说不出心中的觉受。
你好想说出那一种觉悟，
当你张开口时，
却仍是如哑尝味。

你于是默默笑了，
那笑是一种哗哗的白光，
它流苏一样渐渐远去，
瞬间就布满了天空。

你的笑好生虚无，
无欲无执故无所求，
有海纳百川的空间，
有无负无载的轻松。

你的笑好生平易，
无所好亦无所憎，

是大道至简的本质，
心中无累故不沉重。

你的笑好生清净，
像澄明无垢的镜子，
镜中只有道的影像，
从来不跟物欲杂交。

你的笑好生淳朴，
是复归于婴儿的柔弱，
无忧无乐中铸就至德，
浑然不觉中泽及万物。

8. 没有名字的汪洋

[原文]

上善若水。水善利万物而不争，处众人之所恶，故几于道。居善地，心善渊，与善仁，言善信，政善治，事善能，动善时。夫唯不争，故无尤。

[意译]

最好的善就像水一样。水孕育滋养了万物，但它却不争。德行像水一样的人也是如此。他们待在别人不愿待的地方，却一点都不嫌弃。这种境界跟道非常相近。他们能适应环境，你不管安排他们去哪里，他们都觉得适合自己。他们的心像深潭一样，无论遇到什么事，他们都很宁静，生不起任何焦虑。他们总是心存仁义，总想给他人利益。他们很讲信誉，不会违背承诺。他们善于处理日常事务，因无私而会得到多方帮助。他们的思维像水一样灵活，总能把握最好的时机。他们没有争胜之心，所以招不来别人的敌意。

[导读]

　　就这样，她出现在我的梦里，但她不是一个曼妙女子，也不是一个智慧老者，而是一个孩子——胖嘟嘟、圆滚滚、半透明，像一滴巨大的水珠。她的眸子湛蓝、纯净，输送着盈盈笑意。只一刹那，我便知道了她是谁——她是水精灵，是水的精蕴所化。

　　我有点诧异，我一直以为，那水的精魂，像那个骑牛的老者，沉默，睿智，谦下，包容……

　　瞧呀，那精灵跳起舞来，渐渐化成了水，淹没了沙发，淹没了书桌，淹没了我，淹没了房间，淹没了世界。

　　在无尽的清凉中，我看到了一个新的世界，有一个熟悉的声音，在我的心里响起……

[诗说]

　　　　那汪洋的大波不叫母亲，

　　　　可我知道，

那是抹去了名字的你。

你化成了各种形色，

或是细雨，

或是露珠，

或是高山，

或是大池。

你灼而不伤，

你击而不坏，

你深不可测，

你广不可极，

你德行难穷尽，

你微妙难把握。

万物因你而生，

百事因你而成，

你大荫众生而无私好，

你泽及万物而不求回报。

但你也有自己的心愿，

那是一个个来自红尘的期许。

于是你每日奔波早晚劳作，

却不计结果不求成事。

你只管在红尘的大风中，

撒下希望和智慧的种子。

你知道，来年三春，

自然会有嫩芽从土地里钻出，

为荒芜添一点绿意。

日久天长，

那荒漠也会变成沃土，

就像我家乡的大地。

瞧，你手挥拂尘好生清凉，

静默之中涌动着大力。

那大力来自你无尽的悲心，

无尽的悲心中长出无数的青莲，

它们摇曳在红尘的水面，

用倒影诉说着无为的秘密。

无为的秘密里，

藏着一个又一个你。

我眼中的你，

是守信的布谷鸟，

也是删繁就简的三秋树；

是最明白孩子的母亲，

总能知人善任，

也是最善巧的老师，

总是好雨知时节当春乃发生，

随风潜入夜润物细无声。

你任由万物生长而不去干预，

任由万象生灭而不去操控。

你眼中的诸物都是孩子，

你这颗太阳般的心，

照鲜花也照毒草，

你当然不去偏爱，

哪怕不同的存在有不同的样子，

在分别心的眼中，

并不是每一种都可爱。

然而不去要求的你，

却有了好些虔诚的效仿者。

他们都是向阳花，

向往着你太阳般的温暖，

和大海般的辽阔。

他们都想将生命化为你，

融入你，

尝一尝你的呼吸，

听一听你听到的声音，

看一看你眼中的万物。

他们也想做光明的母亲。

9.远和近的游戏

持而盈之，不如其已；揣而锐之，不可长保。金玉满堂，莫之能守；富贵而骄，自遗其咎。功成名遂身退，天之道。

[意译]

执着地想要留住某个东西，让它越来越多，不如停下来，留一点缺陷之美；过于精进者难以从容，过于锋利者容易折损，急功近利者无法长久，锋芒毕露者不能长保，富贵骄傲者充满危险。不如随缘放下，恬淡从容。成功了懂得退步，不要居功贪位，这才符合天道。

[导读]

当你呱呱坠地时，是为了什么而号哭？是因为不想来而不得不来，还是被那一瞬间的陌生感击溃？我想，不会是因为两手空空吧？

也不好说，因为有很多人，早早就开始了人世间的累积工程，抓满两手，堆满居所。抓呀抓，积呀积，来构建这一世的浩大工程，仿佛是要补偿呱呱坠地时的两手空空。

没想到的是，退场和出场，竟然是同一身行头——两手空空。

空，不好吗？

做了一场满满的梦，早点空了手，早点醒来，不好吗？

人人都追求成功，人却忘了，多大的事业，多丰的财富，最后都不属于自己。那么，为啥要为了得到更多而焦心，孜孜不倦？为啥不能让自己高贵一点，在够用的时候拒绝更多，不要让贪欲控制了心灵？为啥不收回那在乎世界的心，多看看自己的灵魂？为何不用谋求外物的心，谋求灵魂的觉醒和自由？

孩子啊，不要挡住自己的双耳，你难道没发现吗，那智慧之声早已响彻苍穹……

[诗说]

　　"我们想效法日月之明，

　　却总被阴霾所蔽；

　　我们想像山泉般清澈，

　　却总被粪土所污，

　　就如兰花刚吐出芬芳，

　　就招来秋霜相逼；

　　我们想得到公平正义，

　　却总被欲望摧毁⋯⋯

　　这人生总是好事多磨，

　　生命却因之有了别一种丰富。"

　　这见地固然很高贵，

　　在智者看来却同样是无知 ——

　　光明本藏于阴霾之中，

　　粪土并不比清泉更污浊，

　　没有欲望便没有公平与正义，

　　秋霜相逼也只是另一种爱语。

　　多磨的好事才是真正的好事，

　　表面的坦途总喂养愚痴。

很多事都是分别心的果实，

也都是环环相扣的因果锁链。

若是你拥有知止的智慧，

人生便会减少许多个"却"字。

转角只出现在愚夫心里，

智者眼中一切自然而然。

所谓知止是知道何时停止，

洞悉万法逃不过成住坏空。

明白那明月在盈满之际，

也定然会渐渐归于残缺。

故而，

欲有福先须避祸，

欲有利必先远害。

求安者失安则危，

求治者失治则乱。

华美的野兽先会被剥皮，

有大角者必先被屠杀，

甘泉必先干涸，

大木必先遭伐。

淹死的大多善游，

坠马者定然善骑。

有宝玉之山定被毁坏，

招来祸患者定然曾招嫉。

你瞧那些能干的猎狗，

在狡兔绝迹时定然被煮杀。

你看那些上好的射鸟弓，

没了飞鸟时便会被收藏。

功成名就后全身而退，

是洞悉天道的智者行为。

想恒久占有地位与名誉，

就是不知进退的愚痴之人。

圣人知道天道的吉凶，

闻而知之便明了祸福。

在祸福之声到来之前，

就已选择正确的道路。

智者能洞悉世间百态，

能敏锐地看到祸福的种子，

便会选择自己的行为，
或趋善远恶或亡羊补牢。

他们当然知道众生的热恼，
也看到众生在福祸间忽喜忽忧，
于是他们在尘风中发出大声，
那声音或走进书里，
或被口耳相传，
或显或明地流传至今。

其中有一本书叫《老子》，
讲它的老人叫作老子。
那老人的声音是如此沧桑，
一如那唠叨了千年的佛陀。

迷醉于红尘的孩子啊，
你可否听见他们的声音？
那亘古之音正隐隐约约地飘来，
你专注凝神肯定能听清 ——

留一点空隙吧，

分寸是一种智慧。

当刀子锐到极致时，

刃就会卷曲。

当珠宝堆满屋子时，

就会招来盗贼。

虚中可盛万物，

富骄会树大敌，

历史上那些横死的英雄，

定然是树大招风。

当世俗的大风吹来时，

最先被吹折的，

总是那些扎眼的大木。

人说退一步海阔天空，

退到最后真的会天空，

那晴阳之下，

大地之上，

有一片好大的虚明。

那里有一片净土，

它美轮美奂，

它灿若朝霞，

它有着世上最壮美的宫殿，

还有那些轻歌曼舞的天女。

但她们都隐在霞光里，

隐去了形色，

隐去了声音，

隐去了倩影，

隐去了那一晕倾国倾城。

她们一直在等一个人，

那是一位老者，他正遥遥走来，

月下的影子好生孤独，

还有那些风中的蝉鸣。

它们都在讲他的故事，

那故事说来简单，

其实是一种无言的大美。

10．来自道的灵魂拷问

载营魄抱一，能无离乎？专气致柔，能如婴儿乎？涤除玄览，能无疵乎？爱民治国，能无为乎？天门开阖，能无雌乎？明白四达，能无知乎？生之，畜之，生而不有，为而不恃，长而不宰，是谓玄德。

[意译]

魂和魄的载体要合二为一，那么你能不能让它们不分离呢？专一地修气，让气凝聚起来，精神和肉体都会变得非常柔软，那么你能不能让它们柔软得像婴儿一样呢？清除所有心灵杂质，心就会变得像明镜一样，那么你能不能让它没有瑕疵呢？以爱护老百姓为准则治理国家时，你能不能做到顺其自然，不瞎折腾呢？用眼耳鼻舌身意跟世界交流时，你能不能既有无为之心，又有柔软之意呢？当你什么都懂时，能不能做到没有机心呢？你能不能做到既创造它，养大它，又不将它据为己有呢？或者说，你能不能以无执之心去做事呢？你能不能既为别人做出表率，又不试图去控制别人，逼着别人像你那样活、那样做呢？如果能做到以上这些，你就拥有了最高明、最深奥的道德和品格。

[导读]

骑着青牛离开之前，那位老者留下了一连串的追问。当然，需要答案的不是他，而是每一个读到这里，开始自我审视的人。

我也像那条追问大海的小鱼儿一般，我观察着，追问着，我不想仅仅只是知道母亲的名字，我想要真切地感受到她的温度。

我的追问，有时候也会得到回应，那回应，却也是一种追问：

你做到内心与外在的一致合一了吗？

你的心像婴儿那般单纯无欲吗？

你时时觉察自己的起心动念了吗？那里面没有任何暗影了吗？

你不再想要占有那些你付出的、你喜爱的、你体验的了吗？

…………

这些追问一响起，我向外的追问，便戛然而止。

[诗说]

　　　　那一方仙净真的好大，

　　　　一切都在里面，

　　　　那精彩的精神，

　　　　那强健的体魄，

　　　　它们相融成一味了，

　　　　好像那鸡尾酒。

　　　　它元气淋漓，

　　　　却婴儿般柔软。

　　　　它的心成镜子了，

　　　　能映照出万物，

　　　　有生生不息的百姓，

　　　　有纷纷扰扰的红尘。

　　　　你不用去理它们，

　　　　你甚至不用提那个叫无为的词，

你的心只管像那镜面，
朗照万物，却如如不动。

你只管享受那母亲的心，
慈爱成一团和风，
你没有心机，
你只管让万物生长，
你只管让生命繁衍，
你只管用温暖的怀抱，
温暖那一个个婴儿。

然后，
在一个圆满的月夜，
你放飞它们，
瞧呀，
那翅膀正扇向四方，
飞向一片片自由的天空。

11．空是有的母亲

三十辐共一毂，当其无，有车之用。埏埴以为器，当其无，有器之用。凿户牖以为室，当其无，有室之用。故有之以为利，无之以为用。

[意译]

三十根辐条向内汇聚到中空的毂上，车轴穿过毂的中心，将车轮安在车身上。所以，有了毂的空，车才能发挥作用。陶器也是这样，正是因为中空，它才能发挥器皿的作用。盖房子同样如此，正是因为凿出了一个个中空的洞，才能安上门窗，里面才能住人和放东西。所以，"有"可以给人带来便利，但前提是必须有"无"的支撑。

[导读]

我爱望那天空，空空荡荡，明明朗朗，瞧，还有那看不见的空荡里，正上演着的生生灭灭的精彩大戏。

瞧，一群鸟儿正在空中飞过，我更感谢那空荡了。若是没有那空，鸟儿就难了。天上若像地上那样，布满了一道道墙、一座座房，鸟儿就该收起自由的翅膀，变成了地上的芸芸众生，在那被切割、被画了框的空间里，小心翼翼地爬行。

来，我们继续寻找空荡——

空荡的房子有无数个可能；

空荡的瓶子有无数种猜想；

空荡的气球飞得很高；

空荡的心什么都容得下……

那么，为何要为了空空如也而恐慌？生命时空的空空如也，不正是为了让你填充更有意义的事吗？比如，你可以尽情地填充你喜欢的人，还有你喜欢的事。喜欢，或者换成另一个字：爱。如果你爱众生，想把众生放进你的生命时空，你就要准备一个很大的空间——不是物理空间，而是心灵空间。那空间无边无际，像无垠的天空和大地。你看，正是因为无垠的空，大地才能承载万物，天空才能让各种鸟儿尽情翱翔。你的心要是像天地般广阔，就能容纳一切。

这是你向往的境界吗？还是说，你觉得它很陌生，你感到新奇，还有一点好奇，还想知道更多？那么，你就要静下来——静一些，再静一些，直到所有杂念都消失，脑海中只剩这一个一个的文字，或是连文字都消失了，只剩一种似乎没响起，你却分明听到了的声音……

[诗说]

你折了三十棵小树，

削成了辐条，

把它们安在凿空的毂中，

于是出现了一个太阳，

你叫它轮子。

你指着那一个个洞说，

没了那一处处空，

便没有轮子的有。

你挖了陶土，

做了一个罐子，

你指着那中空之处说，

有了这，才能盛物。

你开了一个大大的窑洞，

你说，瞧呀，

有了这空处，

我们才有了栖身之地。

你总说一空能生万有，

大道虽无状无相，

似不达其意于天地，

但总能幻变出无穷之物。

譬如大道能合阴阳，

阴阳相合能生出风雨，

适宜的风雨能成就森林，

无尽的森林能庄严高山。

天虽不言而行四时，

地虽不语而生万物。

圣人不违先天顺其自然，

圣人奉时后天治国以礼。

你总是这样唠叨不停，

我其实早明白这个道理。

我知道一空能生出万有，

我知道一默能孕育大声，

我知道碧蓝的天空中定然有雷电，

我知道有你的日子天花缤纷。

我更知道，母亲呀，

要不是有你子宫的空，

便无处容我生命的躯体。

我还知道一些小秘密，

它们都是造化的钥匙，

那是一串串闪光的露珠，

阳光下，

它们正在升空。

12．在下坠中飞升

[原文]

五色令人目盲，五音令人耳聋，五味令人口爽，驰骋畋猎令人心发狂，难得之货令人行妨。是以圣人为腹不为目，故去彼取此。

[意译]

过于斑斓的色彩会让人眼花缭乱；勾起欲望的声音太多，会让人听不到真理之声；过多的美食会增加贪心，让人远离大道的法味；过多的娱乐和应酬会激发欲望，让人失去宁静之心；稀有难得的东西——包括金银珠宝——容易让人失态，也容易让人不守规矩、行为不轨。所以，圣人会拒绝生存之外的物质、利益和享受，守住简朴的大道。

[导读]

我曾想过一个问题：花花世界这个词，究竟是褒义还是贬义？毕竟它初诞生时，仅仅是为了表达那一抹花团锦簇的美丽。美丽的花花世界并不是罪过，不是吗？

可它，终究是误入了世人的眼。或者说，世人的眼，终究是误入了花花世界。于是，他们迷了眼，又乱了心。花花世界，这美丽的词，披上了魅惑的暗黑系外衣。

我能感受到她的委屈。

同样觉得委屈的，还有那美丽的音和怡人的味，像是历史上背了黑锅的红颜们。

我只好叹了一口气，郑重地对她们说，错的不是你们，你们也是大道母亲的造物，那美丽、庄严的本是清净世界和清净的心。

回转身来，迎面是世人懵懂的面孔，全是迷蒙的表情。

我只好又叹了一口气。

老人却笑了。他说，孩子啊，花花世界并不恐怖，恐怖的是欲望和贪执，还有不能自主的心。同样没错的，还有那些美食、美声、美色、美物，它们是这世上最美的存在，它们的诞生，就源于人类对快乐的期待。不要把它们当成洪水猛兽。你看，那高山流水激发了多少人的诗情，那亭台楼阁促生了多少人的画意？还有那美人，没有她，怎么会有"关关雎鸠，在河之洲，窈窕淑女，君子好逑"？所以，你不用回避花花世界，也不要把红颜当成祸水，你要知道，世上流行的很多说法，只是人类给自己找的借口。

于是，你笑了，你的眸子里有两个太阳。那纯净的光明化成了音符，从你的双眼里流出，从你的记忆里流出，从你灵魂的疼痛里流出，汇成了一首很美的歌……

[诗说]

你带我去开满鲜花的山岗，

你问，儿呀，

你瞧瞧这万花，

哪一朵更美？

我知道这个话题很难，

我无论如何呾舌，

也呾不出那个妙字。

瞧这漫山遍野的花，

都在风中招摇，

我不知道，

该喜欢哪一朵。

你笑着说，孩子，

那颜色一多，

你的眼睛就瞎了。

你还带我去热闹的集市，

那搅天的喧嚣一起，

我便分不清声音。

你于是说，

当诸种声音一起喧闹的时候，

你的耳朵就聋了。

你又带我去火锅店，

那真是一个热闹的所在，

疫情一得到控制，

便有了汹涌的人群。

那锅中的味道真的好重，

像一团团烈火在燃烧。

你说，

儿呀，这味道一多，

你就没了舌头。

你还带我一起去打猎，

我们背了弓箭，

左牵黄，右擎苍，

在风吹草低见牛羊的所在，

放飞了我们的欲望，

我的心于是疯了。

你就说，

瞧，在搅天的杀气里，

你的心可还有主人？

我还看到那稀有的古玩，

那真是无上的珍奇，

没看到它时，

我的心中没有它，

看到它后，

我的心中写满了它，

我甚至生起了盗心。

你呵斥我说，

这下，你明白了吧？

看到的越多，

烦恼就越重。

你总是说这些话，

我知道你在调伏我。

我的心早已像烈马，

正奔驰在荒野上，

你的话像那缰绳，

不管我喜不喜欢，

我都该握紧——

瞧，那悬崖已近在眼前，

下面，是万劫不复的泥浆。

"当欲望的洪水席卷而来，

俱下的泥沙就会污了净水。

一旦欲望的泥浆冲垮堤坝，

质朴天性就会失去领地。"

母亲，这些我都知道，

我还知道，

若修心不能端正自己，

心便没了主人，

修身则无洁净之身。

行事往往事与愿违，

所求者多所得者少，

所见者多所知者少，

耳目淫于声色妄心便动，

血气滔荡便魂不守舍。

即使那祸患山一样压来，

也如聋如盲无知无识。

这时，

治身则会昼夜难安，

治家则会鸡犬不宁，

治国则会天下大乱。

我们要像那圣人一样，

精诚内守如明月朗照，

意气清净像清泉之声，

行为有节制毫不放逸，

处事有分寸进退合度。

当我们不用私欲破坏和谐，

自然能摆脱物欲的诱惑，

安住无为返璞归真，

心中自有别样的风景。

以是故，

顺意时不用忘乎所以，

逆境中不用垂头丧气，

居高处要懂得思危，

处安逸不能够荒淫，

闻过则喜从善如流，

用有为之行承载无为之心。

只是这样的人非常稀罕，

慕之者多行之者少，

因鸟羽上总是系着黄金，

乌云总掩蔽皓月之明。

人心的欲望也如一层层遮眼布，

让人看不见天空的纯净。

母亲，可否给我你的祝福，

让我在冬夜里多一点力量？

我想带着一身泥垢，

飞上那高高的九天，

让它们在灼热的阳光中燃烧。

然后，我呢，

也一起燃烧成灰烬，

在灰烬中变成另一种鸟 ——

请原谅我不想叫凤凰，

我想用另一个名字，可否？

瞧，你笑了。

你的笑中是一片淡紫色的花海，

温暖如斯，让我想要流泪。

那是浴火后的世界吗？

我知道，你将赐给我的名字，

也是我期盼的名字，

它，就叫重生。

13．期待宠爱的孩子

[原文]

宠辱若惊，贵大患若身。何谓宠辱若惊？ 宠为下，得之若惊，失之若惊，是谓宠辱若惊。何谓贵大患若身？ 吾所以有大患者，为吾有身，及吾无身，吾有何患？ 故贵以身为天下，若可寄天下；爱以身为天下，若可托天下。

[意译]

无论受宠还是受辱，都会让人感到意外，措手不及，而且，有时的荣贵是会招来祸患的。得到宠爱时，你会很吃惊，也会害怕失去，假如真的失去了，受宠就变成了受辱。所有的祸患都是因为有身体，如果没有身体，还有什么需要忧患的呢？ 所以，能像重视自己的身体一样重视天下，能像爱惜身体一样珍爱天下的人，就可以把天下寄托给他。

[导读]

人们常说，被偏爱，才会有恃无恐。

是啊，被偏爱的孩子，总是嘴角翘翘，眼神骄傲，因为他们知道自己有一些特权，哪怕是小小的特权。

被偏爱的成人，把翘起的嘴角藏在了微笑后面，把骄傲的眼神敛成一种凛然的态度，然而，还是看得出，他们是被宠爱的啊。

无怪乎，人人都想要得到那一份偏爱。

可是，故事还有下半场——

当偏爱被收回，那有恃无恐的骄傲，立即惊愕成了感叹号，如云霄之上的飞鸟中箭坠落，随着羽毛一片片散开的，是那遮天蔽日的屈辱。

沉重的，不只是自由落体的身躯，还有那颗总想寻求偏爱的心。

[诗说]

我总是在乎你的评价，

你夸我，

我忘乎所以，

你骂我，

我心惊肉跳。

我知道这是病。

我总害怕失去你的爱，

总害怕希望灰飞烟灭。

我也爱那珍宝，

爱那美食，

还有那诸多的爱好，

它们都跟在你的宠爱后面。

要是没有这诸种爱悦，

我还怕你吗？

你说，我太重享受了，

要是我没有这欲望，

我还怕个啥呢？

等我长大后，

像爱自己那样爱天下时，

天下就成了我怀中的婴儿。

母亲，我知道你说得对。

我是一个充满欲望的孩子，

欲望就像是我的名字。

我也想放开它们，

但它们就像夏日里那层湿湿的汗，

惹人讨厌，又摆脱不开。

母亲，我多想做到你说的，

成为你引以为傲的孩子。

这样，你的宠爱是不是会多一点？

多过你对百灵鸟的爱抚，

多过你爱门口的小白杨，

多过你爱小溪边上的碎石路，

多过你爱傍晚时的黄日光。

但我知道，这也是一个怪圈，

会让我深深沦陷。

我该放开一切，

拥抱广阔的天空和自然，

变成你。

这，是不是更高层级的爱呢？

14．看不见的路

［原文］

视之不见，名曰夷；听之不闻，名曰希；搏之不得，名曰微。此三者，不可致诘，故混而为一。其上不皦，其下不昧。绳绳兮不可名，复归于无物。是谓无状之状，无物之象，是谓惚恍。迎之不见其首，随之不见其后。执古之道，以御今之有。能知古始，是谓道纪。

［意译］

肉眼看不见的存在叫"夷"，耳朵听不到的声音叫"希"，身体摸不到的存在叫"微"。这三者，都是无法究其奥妙的，所以混合为一。它的上面既不显得光明亮堂；它的下面也不显得阴暗晦涩。世上万象接连不断，纷繁复杂，不可名状，但一切都会在变化里，归于一种虚无中有无穷活性的境界。它没有任何形状，也没有任何外相，是形而上的，道家称之为"惚恍"。它的特点是，你想要迎接它，却看不到它的头；想要跟随它，也看不到它的尾。你明白这个道理之后，就要用它来服务当下。能认识了解宇宙的初始，这就叫作认识道的规律。

[导读]

你说你陷入了深深的迷惑。

你比那混沌之中的盘古，更加迷惑。他一斧头劈开了混沌，于是，一切能见能闻能命名。这是上，那是下；这是前，那是后……

你羡慕盘古手中有一把开天辟地的斧头。

你说你所在的是另一种混沌，比混沌更混沌的混沌。

你看不见，听不到，摸不着。你分不清上下和里外，因为没有暗与亮的区别；你追不到前面，也看不到后面，因为那是无始无终的绵延……

静下来吧，毕竟你能够感觉得到她，不是吗？

静一点，再静一点，静静地感受她。

我眼中的世界，仍是一团混沌，那一个个名字和形状，不过是人们自以为的定义，很多时候，我们都定义不了什么。所有定义都在不断被打破，新的内涵总是忽然就出现。就连人们认为的很多科学理论，都在不断被后世推翻。所以，我们以为可以被定义的，其实不能被定义；我们觉得混沌的，才是世界的真相和永恒。迷惑，不是因为现象的纷杂，而是因为不明白世事纷杂和多变，把一时一地当成了永恒。

　　所以，还是停下不断推敲的心吧，你难道没发现吗，你费尽心思推敲出的东西，早已变成了旧篇章？当你驱散纷杂的思绪，当你的心像白雪覆盖的大地，你就会听到一曲天籁之音正遥遥而至。据说，它来自亘古——

[诗说]

　　　　当你的心爱之物出现时，
　　　　你可以视而不见。
　　　　当那悦耳之音飘来时，
　　　　你可以听而不闻。
　　　　这时你就会感知到它，
　　　　体验到它的清凉。
　　　　你虽然摸不到它，
　　　　却会明白它的存在。

　　　　它是啥？

它是万物背后的密码，

它是能量背后永恒的驱动力，

那个叫老子的老人称之为道。

也有人称之为本原。

人人都说回到本原，

我知道，那本原，

就是一切的起点。

其实那不是思想上的回归，

也不是身体上的回归，

更不是学术上的回归，

而是将一颗茫然的心收回，

让它回到灵魂的安栖之地，

将红尘的纷扰喧嚣扫出心外，

让颤动的心湖平整如镜，

映照出红尘中的一切景象，

却又光明历历，了了不昧。

但你不要分析它的头绪，

只管看清它的面容就好。

你也别生好恶，

只管将诸相煮成一味，

既没有刺眼的光明，

也没有愚昧的黑暗，

一切自然而然。

那是延绵不绝的光明之雾，

那是无法描绘的混沌之相。

你看不到它的头，

也抓不住它的尾。

你像一滴水进入大海，

你像一阵风融入苍茫。

那是一种途径，

沿着它，你就能发现真相。

15．神奇的老人

古之善为道者，微妙玄通，深不可识。夫唯不可识，故强为之容：豫兮若冬涉川；犹兮若畏四邻；俨兮其若客；涣兮若冰之将释；敦兮其若朴；旷兮其若谷；混兮其若浊。孰能浊以静之徐清？孰能安以动之徐生？保此道者不欲盈。夫唯不盈，故能蔽而新成。

得道者拥有玄妙通达的智慧，深不可测，我也只能勉强地形容一下：行为上，他们就像豫——"犹"和"豫"是两种动物——在冬天过河时那样小心翼翼，也像犹防备邻居时那样保持警觉；态度上，他们总是庄重有礼，就像在做客一样；心态上，他们就像冰化为水那样自在随意，凡事随缘；德行上，他们敦厚质朴，非常实在，就像未经开凿和雕琢的璞玉；胸怀上，他们像山谷一样能容万物；外相上，他们老实普通没有心机，也看不出什么智慧，总能和光同尘。谁能在浊世中保持心的清凉？ 智者。谁能在非常安静的同时暗藏无穷生机？ 也是智者。保任大道智慧的人不会自满，也不会过分追求完美，因为他们明白过犹不及的道理。也是因为他们从不自满，所以能随时打碎自己，随时做到去粗取精，去伪存真，与时俱进。

[导读]

同为造物，万物却参差多态；同为大道母亲的孩子，人与人之间的差别，竟也有云与渊的距离。你知道我说的并非人的外表，而是心灵的境界。

你又疑惑了吗？ 你可听说过有这样一种人，他行走于尘世，却只做一件事：认识道并践行之。这是他活着的目的，是他活着的意义。

你吓了一跳，这是个怪人吗？ 他会显得很特别吗？

不，他一点也不奇怪，也许在别人看来，会有些孤独；他一点也不特别，反而比普通人更普通。相信我，许多时候，你甚至不会多看他一眼。

　　你想在芸芸众生之中，将他找出来吗？你一定想这么做。

　　你知道，这样会满足你的一些好奇心。

　　但你不知道的是，当他走进你的生命，带给你的是怎样一个新世界。

　　要知道，只是一次不期然的相遇，就能扭转命运，改变人生的格局；一次偶然的回眸，就会发现浊世背后壮美的风景；一个小小的转念，他人就不是折磨，而是去往天堂路上最好的伙伴；只是一个擦身，你就会错过那位看似普通的智慧老人。

　　那么，就来听一听这首《智慧老人之歌》吧，你要按照它给出的线索，去观察每一个经过你身边的人。当你感觉到一种祥和氛围忽然将你包围，你的念头消失，内心无比清凉时，你就要珍惜眼前人，也许，他就是你生命中最大的贵人。在他撩开门帘迎接你的时候，你更要打开心门走向他。因为，他的小屋，就是孕育觉醒的国度……

　　[诗说]

　　　　在那条小径的尽头，

　　　　你遇到了一个神奇的老人，

　　　　他相貌高古，

　　　　一副寿星模样。

他说出话来微妙通达，
蕴藏着深刻和遥远。

他做事小心翼翼，
像冬天踩着水过河；
他总是警觉着，
好像头顶悬着利剑；
他恭恭敬敬，
好像在宴会做客；
他行动洒脱，
像春风能融化冰川；
他淳朴厚道，
像不经加工的籽玉；
他旷远豁达，
像清秋深幽的山谷；
他浑厚圆润，
像掠过鹤影的寒潭。

他能让黄河安静，
他能让浊水澄清，
他能让死寂发出生机，

他能让枯枝重现绿荫，

他心如虚空永不自满，

他从不固执随顺世情。

你没有问他的名字，

却怪怪的恍若知道。

有一种莫名的熟悉，

在和他对视的瞬间出现。

你仿佛融入了他的世界。

你说不清，他到底是他，

还是另一个你？

是否另一个你，

从亘古的沧桑中走来，

与沉醉于时空幻象的你对话，

想要叫醒这个你，

让你看到生命本初的模样，

看到你躺卧于母亲子宫时，

因沉睡而没有看到的景象？

神奇的老人，

他向你走来，

也向我走来。

他走入了你我的世界，

像清风般不着痕迹，

又是如此地顺理成章。

你说不清为何，

就在凝视他双眸的刹那，

温暖的泪水从眼眶中溢出。

16．包容寰宇的心

［原文］

致虚极，守静笃。万物并作，吾以观其复。夫物芸芸，各复归其根。归根曰静，静曰复命。复命曰常，知常曰明。不知常，妄作凶。知常容，容乃公，公乃王，王乃天，天乃道，道乃久，没身不殆。

［意译］

虚到极致，便没有任何执着，才能做到真正地随缘，才能安住极致的宁静。这时，你会观察到万物的生长，感知到自己和万物的联系。你要观察万物周而复始、成住坏空的规律，观察万物循环往复的变化，明白万物万象虽然纷纭复杂，但最终无不归于空寂。于是，不再执着，就叫静，静到一定的时候，就会出现新的生机。回归空寂，回归本来面目，就叫常，常就是大道至理，体悟这种真理就叫明。如果不知道万物运行的规律，不知道万物必然会变化，就叫不知常。因为不知常，人们才会追逐那些很快就会消失的东西，甚至胡作非为，不择手段。明白这个规律和真理时，就能包容一切变化，叫知常。包容心大到一定程度时，就会出现公心。有了公心，破除私利时，你就会成为心灵的主人，进入天人合一的境界，这时，你就是天，你的行为自然符合天道。合道之后，你就在真正意义上实现了长久，就没有任何危险了。

[导读]

昨夜，你梦到一个老人，他白胡子白头发，道骨仙风。你想向他问道，却发不出声音，你的声音刚从嘴里传出，就像是一片雪花飘入火中，刹那间就被融化了。

世界静止了。

老人在坐静，你也盘腿坐下，但你不知道该观想什么，于是就四处张望。你看到，附近有一条小河，河水流着，不缓不急。岸边有萋萋芳草，更远处有成荫的绿树，树下有几头牛在静静地吃草。你盯着牛的嘴巴，那一下下匀速的咀嚼把你带进了某种状态，你突然恍惚了。时间好像也停止了。

你仿佛变成了那微小的草籽，你进入漆黑的大地，安然地睡去。你静静地等待，等待着那一声春雷的唤醒，你攒足了力量，撞破了那层泥土，以全新的你迎接那一缕阳光。

但瞬息间，掌控这个时空的大钟开始疯狂地运转，你看到眼前的牛们飞快地衰老，最后变成一副副骨架，还有那些绿树，树叶迅速地枯萎、落下。满地落叶在风中加速舞蹈着。草地也在飞快地萎黄，腐烂在土里，又飞快地冒出了嫩绿的小芽儿，飞快地长高，枯黄的土地再一次芳草萋萋。

你热泪盈眶，漫天静寂。

你的心剧烈地跳动着，有一个小小的声音在你的灵魂世界里喊着。你认真地听，想知道它在说什么。突然，两个字异常清晰地在你的世界里炸响：无常！

就在这个瞬间，一串细密的滚雷沿着你的动脉，从涌泉一下冲到百会，你全身酥麻，泪流满面。也在这个瞬间，所有变化都消失了，你身边的小河仍在不缓不急地流着，牛们也仍然在树下安然地吃草。

老人却睁开了眼睛，他微笑着望你。他的眸子里好像有一片大海，你只望了他一眼，就被吸入了那个世界，成了大海中的一滴水……

［诗说］

你于是看到了老人的心，

那是静到极致的空旷，

那是无波无纹的澄明，

那是万物生长的山谷，

那是循环往复的走廊，

那是清净之芽的绚烂，

那是万物之树的根本，

那是知道了真相的释然，

那是回归于童年的纯真。

因为心如寰宇般包容，

公心就随之出现了。

那公心像晴明的天空，

那公心像无边的海洋，

那公心有大地的厚德，

那公心像延绵的高峰。

有了公心才会行事周全，

不再有不明规律的凶险。

这时才符合天道自然，
安然中才会抵达永恒。

当你端正行为不行非法，
当你用心专一融入空明，
上天之和气就会降临，
你会成为大道的载体。

当你开放了胸襟气量，
当你收摄了机巧聪明，
自然之神就会为你守舍，
你便会成为道之载体。

这时德便会为你美容，
大道母亲会会为你安居。
你的瞳色便如新生之犊，
清澈中充满干净的晴明。

当你息灭了欲望和骄气，
心如死灰却充满活力，
形若枯木却内敛精神，

你就会拥有真实的洞见，
不会再曲解生命之真相，
无心于计谋却明白通达。

事物变化时你随之变化，
你明白变是不变的真谛。
圣者于不变中应对万变，
也能在变中守不变之志。
大道虽是不变的本体，
智者却明变化应对有术。

凡是被规矩所困的庸碌，
不会有远举改革的行为；
凡是拘泥于礼俗的痴汉，
不会有应时而变的才情。
要想达成革故鼎新的创举，
须有独见之明和独闻之聪。

只有洞悉律法的真谛，
才会懂得应时而变。
当明白治国在于治心，

不要食古不化而乱政。
要想临危而存临乱而治，
必须拥有变化的智慧。

所有的法适合社会公义，
所有的义生于百姓需求，
生之于人进而约束于人，
让社会走向公平和正直。

法要清晰而不生疑惑，
上下君臣勿使有例外，
自身践行方施之于民，
让法成为天下的准绳。

天体的运行周而复始，
才能成就宇宙万物。
车轮总是不停地旋转，
才能到达千里之外。
运动是大道运行的外现，
变化导致了万物的进化。

德布于天下就归于清净，
道达于外面就显出柔顺，
恬淡虚无若是成本能，
圣者就不再高高在上。
上合天心教化于无形，
下顺民意会泽及苍生。

清净之德和顺而寂寞，
清净之治素朴而率真，
清净之心闲静而不躁，
无为之治故自然天成。

内合大道而不生执着，
外顺仁义而循乎民情，
其言辞遵循社会公理，
行为让诸多百姓愉悦。
其心地平和而不虚伪，
其事功朴素而无修饰。

不去揣测诸物之始，
不去纠结百事之终，

通透体悟天地之道，
遵循实施阴阳之功。

行为效天地载覆以德，
内心远离伪诈和机心，
五行和谐时风调雨顺，
智慧如日月朗照苍生。

于是那道心能达于四海，
于是那道心能洞察乾坤，
其方大无量有大海之浩，
其敦厚朴素效璞玉之诚。

道心能让空虚充盈，
道心能让浊水变清，
它大山般凝重，
它晴天样空明，
它飘逸若浮云，
它无拘像清风。

它看似实有却虚无，

它看似虚无却实存。

它是万物之本，

它是百事之根，

圣人于是不变其根本，

任凡尘多少曲直是非，

在喧闹中自然澄清。

17．老人的秘密

太上，下知有之；其次，亲之誉之；其次，畏之；其次，侮之。信不足焉，有不信焉。悠兮其贵言。功成事遂，百姓皆谓我自然。

[意译]

最高明的统治者施行道治，老百姓仅仅知道他是谁；次一等的统治者施行德治或礼治，老百姓会拥戴和赞誉他；再次一等的统治者施行法治，老百姓会畏惧他；更次一等的统治者施行刑治，老百姓虽然同样会畏惧他，但私下里会恨他、骂他。如果统治者不仅施行刑治，还不讲信用，那么老百姓就会彻底对他失去信心，天下就会大乱。所以，真正高明的统治者不会随便发号施令，更不会折腾老百姓，他会从容、自在、悠闲地让老百姓自己发展，随缘地给老百姓提供一些帮助。事情成功之后，老百姓根本感觉不到他的参与，反而会觉得"我们本来就是这样"。

[导读]

你很想问修道者是否感到孤独，转念又觉得这个问题也许会显得可笑。于是，你问了另一个问题——

对于修道者而言，这个世界重要么？世界是否知道你的存在，这重要么？

我知道你为什么问这个问题。因为所有活在世上的人，几乎都很在意他人对自己的看法。就算是已经死掉了的人，有一些也很在意，比如说那些想在历史上留下姓名的帝王将相、文人豪客。他们活着时，就已经为死后的名声造势了。他们害怕史官手中的那支笔。那支笔只要动一动，他们的各种嘴脸就会被定格成永恒。于是，很多人在活着时就为自己设计了故事，好让自己在历史上能留下好听的名字。

你还知道，这个世上活着的人，绝大多数都在为人与人的关系而苦恼着。有的人在求关注，有的人在求点赞，有的人在求信任，有的人希望别人敬重他，有的人希望别人害怕他……

所有人都怕别人忘了他的存在。

你觉得这个问题足够尖锐，足够棘手，你很期待，修道者会给出什么样的答案……

但那位老人偏偏不是这样，他通晓人性，掌握了治国之法，却只想静静地躲在图书馆里，教导一些愿意求道的人，让他们能超越那个浮躁的时代。

你瞧，他不想成名，却火了足足两千多年，但世界的赞誉好像跟他无关，时光尽头的他还是那样淡淡的——淡淡地骑着青牛，漫步在时光隧道里；淡淡地说着只有他能说的话，宣讲着世界的真相。就这样，他点亮了一盏又一盏灯，让无数人超越了世界的喧嚣，走进了大道的光明。

你凝神静听，就会听到他的声音，他的声音苍凉而悠远，就像海螺在长鸣……

[诗说]

老人告诉我一个秘密，

最高明的人无我，

世人不知道他的存在，

却在不知不觉中受惠。

就像那纯净的空气，

世人虽然离不开它，

但没人觉得它扎眼。

那真正的隐士也没有名气，

他无形无迹了无牵挂，

世人都不知他的底细。

他不会在终南山上作秀，

他不会在明月之下耕地，

他不会在渭水河畔钓鱼，

他不会在苏武山上放牧。

他不需要史册上的名字，

也不关注那所谓的不朽，

因为他知道世上没有不朽，

不朽不过是一个假名，

目的是安慰那无依的心灵。

真正的圣王同样不像在管理，

他清净无为垂手而治，

他从不扰民顺应天道，

他不行欺诈不横征暴敛。

他有点像当空的丽日，

很少有人去关注太阳，

很少有人对太阳献媚，

但人人都享受太阳的赐予。

圣者不以低贱的出身为耻，
只担忧大道不能够畅行。
圣人不担忧自己的寿命，
却为百姓生机殚精竭虑。
圣者不将私志融入公道，
只按真理的规则来行事，
利用各种资源建立功勋，
顺应自然之势功成不居。

他洞悉大道藏精于内，
栖神于心六神有主，
外示静穆恬淡之相，
喜悦怡然如沐春风，
胸襟开阔好似无物，
广大无形寂然无声。
官府似无事，
朝廷若无人，
社会无隐匿之士，
百姓无忧苦之民，

人民无劳役之苦，
监狱无冤判之刑，
遥远的异族顺风而化，
其诚心如雨露施于万民。

真正的智者师法造化，
设日月列星辰顺应四时，
布风雨施雨露夜以继日。
不见其养而万物生长，
不见其杀而万物消亡；
不见其努力而大福常生，
不见其懈怠而灾祸消散。
无心动员并教化百姓，
百姓却受教国泰民安。
只要是精诚起于心内，
便可能气动善行天下。

真正的智者总乐得悠闲，
心中无事世界才清凉。
少发号施令随顺自然，
不拔苗助长接受过程。

像阳光那样照耀万物，
像大地那样让万物生长。
让诸种事物随缘生灭，
于自然无事中成就大业。

次一等则有治理之相，
治阴阳之气秉日月之光，
路不拾遗无盗贼之忧，
使众不压寡弱不怕强。
节四时之度不误农时，
能让众百姓安享天年，
让众官正直无私奉公，
让上下调和而无仇怨，
商人不欺诈公平经商，
制度规矩依道之本原。

再次一等者会被赞美，
因他还有自我和作秀，
或追求文治的永恒不朽，
或追求武功的动地惊天，
或穷兵黩武民穷财尽，

或雄才大略百姓遭殃。

更次一等者会失去所有，
总想用暴力让百姓恐惧，
却不知恐惧是双刃利剑，
会伤国伤民伤人伤己。
国人莫敢言道路以目，
防民之口甚于防川。
一旦失去民心天下大乱，
君王就成了独夫民贼。

再下一等者总侮辱别人，
徒逞口舌之快以生是非，
貌似占上风却失去朋友，
把自己搞得路断人稀。
他们看上去色厉内荏，
其实无自信易生忧患。
越是想让天下人叫好，
实则内心越没有底气。
其逆天暴政如日月失明，
五行失衡四时不安。

人力巧伪总不合自然，
会山崩川涸冬雷夏霜。

精神颓废者容易懈怠，
无德无行者容易虚伪，
空占名位者华而不实，
贪图名利者定然伪善，
谋私利者会舍公就私，
急功近利者难成事功。

只要治世者能保持贞信，
就不会走向穷途末路。
只要尊重道德来施政，
天下人就会趋之若鹜。
若能重用贤德之人，
国家就会强大称雄。
若能团结绝大多数，
就会无坚不摧众志成城。
当你的精神足够饱满，
德行就会体现于行为。
要是精神上没有大力，

就会受到世风的蚀淫。

所以重在内修道德，

不必外饰虚浮的仁义。

诚信能养天地正气，

它是最明亮的灯塔，

代表了一种契约精神，

显示着内在的高度自重。

诚信能合上天之大德，

诚信能合太阳的光明，

诚信能合四时之信符，

诚信能合神明之灵明，

诚信能抱地气而和谐，

身不下座而四海归心。

无诚信者朝令夕改，

反复无常没有气节，

投机钻营唯利是图，

见风使舵巧言令色。

道只是他们的遮羞布，

他们用高尚掩盖猥琐。

18．他说的只是治国吗？

[原文]

大道废，有仁义；智慧出，有大伪；六亲不和，有孝慈；国家昏乱，有忠臣。

[意译]

人们抛弃大道的时候，世界才会提倡仁义道德；人一变得聪明，奸巧、伪诈就出现了；父不慈、子不孝、兄弟不友爱时，人们就开始提倡孝悌规范；国家秩序混乱时，才会显示出谁是忠臣。

[导读]

我们建立了辉煌的文明和国度，但很多人的灵魂世界却日渐荒芜，他们看不到灵魂真正的诉求，只知道欲望想要什么，也只想满足自己的欲望，哪怕偶尔会向往田园，怀念最初的纯真和美好，也只是趁放假去农家乐吃一顿饭，体验一下乡村生活，然后再回到城市的繁忙和逐利之中。很少有人能从欲望中抽离。于是，很多人都南辕北辙地活着，想要得到幸福，却在追逐中离幸福越来越远。南辕北辙的人组成了南辕北辙的社会，各种问题就像瘟疫，不断在世界上蔓延。

但我相信，这不是大道母亲的造物道具出了故障，更不是谁的恶作剧。大道母亲将世界交给了我们，从此，世界由我们自己创造下去。

你看，我们创造得是不是很不赖？我们走过了一条多么艰辛而又辉煌的道路！筚路蓝缕，从未放弃，发展生产，创造文化，就连战争，那也是一种新陈代谢，不是么？

可是，当我们走了很远很远之后，回过头来，却发现，一切都不对劲了。

这个世界颠倒了。

我们不知道自己是在前进，还是在后退，因为很多人回忆起了往昔的美好与单纯。

我们不知道自己是更聪明了，还是更愚蠢了，因为我们不仅看不清世界，也看不清人心了。

我们慌了。你知道南辕北辙对吧，所以你能理解我们的慌乱。你说，我们是不是该停一停脚步，好好想一想，下一步该怎么走？老人的话语里充满沧桑，看得出他已参透了真相——

[诗说]

你去看那森林中诸物，
何尝有谁去规划设计？
它们却繁荣有序充满生机，
这就是大道之功在起作用。
君主治国当效仿自然，
无为而治守住那根本。

首当行教化施行那仁政，
明了社会变化洞悉因果规律。
一切都不离予民福利，
久而久之民心自然凝聚。

君王若是缺乏大道智慧，

就会依赖那所谓的智士。
依赖过度更会失去主见，
亲手种下乱政的种子。

君王若是苛刻多惩罚，
便难以成就真正的帝业。
若是时时鞭打那坐骑，
便是好骑手也难以致远。

君王之德不足以服众，
才会借刑罚安定社会。
太依赖刑罚更易惹仇怨，
仇恨过多会招来祸乱。

法度的制定要适合民心，
民心向背是发展的关键，
凭好恶立法必定会弱小，
顺民心立法才可能强大。

若是社会已丧失信义，
人们就会依靠契约。

若是过分依赖律法文书，
人们就不会再善养德行。

若是过于相信自家耳目，
非但劳心也难明智慧。
若是过分强调算计巧智，
仁义就不会成为主流。
若利用机心巧智治国，
就会劳心却难以成功。
算计和造作消失之后，
世上万象才能复归自然，
如乌云散开阳光普照，
大道智慧也会自然显现。

但仁义也非终极之选，
因为它仍是有为的概念。
它就像一剂百草丹，
总被涂上世间的语言。
只有真理被愚昧掩蔽，
人们才提倡靠仁义救赎。
有罪有仁义会被人同情，

有功离仁义会被人猜忌。

仁义于是成为天爵,
行仁义做事会得到多方支援。
若是费尽心机做事仍不顺,
不如舍机心趋向那仁义。

如此这些仍为世间智慧,
揭示因果却无关清净道体。
当世间智慧流行开来,
那诸多的虚伪就随之出现。
因此我才说,
圣人不死大盗不止,
少欲知足才能安民。

大盗与圣人是对立概念,
两者看似相反实则相互依存。
有圣人方显出大盗之恶,
有大盗才衬托圣人高尚,
只有破除欲望复归于至朴,
从此再无堕落之因,

圣人与大盗才会双双消亡。

若家庭关系出现了危机，
人们才提倡父慈子孝。
那慈孝本是人的天性，
人类只要回归良善淳朴，
则自然会家庭和睦。

国家若陷入祸乱之中，
才有了忠臣诞生的土壤。
而那忠义诚信本是大道之德，
只要安住大道本体，
则背叛欺诈自然消亡。
故当休养生息清净无为，
让事物俯仰自得自然生长。

机心会影响心的淳朴，
没有淳朴就没有盛德，
无盛德者很难远行，
要去机心事本觉自然坦荡。
悟道可安逸不致穷困，

无须机心算计等伎俩。

以道治国不违反天性,
当循其特性使之通畅,
符合人心的因素越大,
变化革新的幅度越小。

大禹治水以疏导为主,
种庄稼也要因地制宜。
征伐者只要随顺民心,
就能真正无敌于天下。

故圣者制法因人之性,
符合人性者才能长久。
若百姓没有良好资质,
虽有好法也不能遵循。

即使百姓都向往仁义,
即使真的是人性本善,
若无圣人的法度引导,
百姓行为也不会方正。

本性是内因当要随顺，

法度是外因因势利导。

圣人治世要内外相合，

倡导德行并辅以法令。

一个人便有通天之才，

也只能种好三亩田园。

智者会遵循大道规律，

顺应于道才无往而不利。

听觉易受非议的干扰，

眼睛易受多彩的障蔽，

仅靠礼仪难施放爱心，

诚朴能实现远大抱负。

有为有形者总有局限，

无形无相者广大无垠。

当远离有形的聪明算计，

而安住无形的大道真心。

人为的造作会破坏自然,
人为的无知会揠苗助长。
智者少干预顺乎天道,
让徐徐清风吹遍山岗。

体悟大道可成就帝功,
明天地通道德慧如日月,
精神清静与万物相通,
调阴阳和四时泽及万民。

效法阴阳可成就王道,
承天地之和内治其身。
外能得人心天下从之,
道德能调柔天地鬼神。

循四时法则可成就霸业,
春生夏长秋收冬藏,
刚柔相济能容诸物,
博爱无私故能成功。

运用律法能保全诸侯,

明生杀刑赏举贤与能，
扶正祛邪且矫枉为正，
因时因势以调伏人心。

以上四类各有其道妙，
不可随意越道而跨径。
以小德行大政民不相亲，
以大德行小政狭隘难容。

圣人治世会远离聪明，
不倡导虚荣浮华的表面，
依道的拙朴废弃巧智，
与百姓一体出乎公心，
外达在约束中减少诱惑，
内守在知足中息灭欲望。

圣人洞悉人心道德圆满，
近者远之远者近之，
怀道而不言泽及万民，
同乎自然与阴阳和合。

圣人应事犹如明镜，

对万事万物不拒不迎。

他好像饮美酒恰到好处，

醺醺然醉卧于花丛之中。

虽也神游于六合之外，

却好像从没有走出净厅。

19．灵山就在心上

［原文］

绝圣弃智，民利百倍；绝仁弃义，民复孝慈；绝巧弃利，盗贼无有。此三者以为文不足。故令有所属：见素抱朴，少私寡欲。

［意译］

隔绝谋士的智慧，摒弃聪明和心计，老百姓才能得到更多的利益；抛弃隔绝一些表面化的仁义礼智信，回归大道，老百姓自然会变得孝敬慈悲；抛弃对名利的追逐，不去提倡成功之术和功利化的积极进取，国家就不会有盗贼。无论用圣智、仁义还是巧利来治国、治心或者治身，都是远远不够的。所以，要让心属于自己：保持质朴简单，减少私心欲望。

[导读]

我们停在了没有路标的荒原上，我们开始努力地回想，从什么时候开始我们弄错了方向。

我们以为，从蒙昧中走出来，懂得的知识越来越多是进步，制定的规矩越来越多是进步，倡导的精神越来越多是进步。

我们以为，从蛮荒中走出来，生产的物质越来越多是进步，获得的财富越来越多是进步，鼓励的消费越来越多是进步。

我们真的错了么？难道我们应该拒绝发展，拒绝进步？难道我们应该拒绝更加美好富足的生活？

真正的智者啊，您能否回答？

[诗说]

老人的声音略显伤感，
在清风中透出了无尽的苍凉——

远离自以为是的圣人，
远离流行于世的偏见，
君王不再盲目地瞎折腾，
百姓才会有百倍的获益。

当我们不再虚假地作秀，
不靠假仁假义获取好感，
百姓才会真正孝慈，
天性良知才会闪光。

当我们远离精明的算计，
不再追逐欲望和金钱，
这世上就不再有盗贼，
老百姓才会安居乐业。

偏见和算计会腐蚀朴素，
只会让人们作秀攀比，
要让人见到本有的素心，
才能安住于质朴的日常。

让多余的欲望随风而去，
让太多的私欲没有市场，
远离了造作的时尚熏染，
人心才不再有各种忧虑。

内心的中道是真正的主人，
中道上用功才百事不废。
若能在内心中合乎大道，
定然能有效地节制行为。

六腑安宁如婴儿熟睡，
思虑平易如静沐春光，
耳聪目明毫无困惑，
精满气足筋骨劲强。

真正的圣人不去治人，
他的目的在于治己。
他总是忘记了权势地位，
始终只愿做自己的主人。
圣人之乐不在于富贵，
而以和谐天下为己任。

圣人治世循天地变化，
如春耕夏锄秋收冬藏。
圣人惠民如天覆地载，
对百姓的奉养就会丰厚。

圣人治世远离主观臆断，
尽可能减刑法归于清静。
以道德作为治国之纲，
天下人就能得其福荫。

圣人治人好似驭马驾车，
用各种器具来善用马力。
精驭术更要顺马的天性，
多马合力自如才能致远。

若无功厚赏会助长懈怠，
若无劳而高爵易生贪婪，
圣人之心虽远离好恶，
仍要借赏罚制订规则。

虽有刑诛者圣人不怒，
虽有激赏者圣人无与。
赏罚皆是替天行道，
公平正义无个人恩怨。

守无为之心清净无染，

行不言之教动静自然，

行为仪表进退应时，

虚心弱志清明不暗。

这样的大道就在眼前，

悟道的灵山就在心上。

若是你舍本逐末而外求，

就会成为愚人的榜样，

因此你要回归自心，

发现那殊胜的本地风光。

20．大风中的静默

绝学无忧。唯之与阿，相去几何？善之与恶，相去何若？人之所畏，不可不畏。荒兮，其未央哉！众人熙熙，如享太牢，如春登台。我独泊兮，其未兆；如婴儿之未孩，儽儽兮，若无所归。众人皆有余，而我独若遗。我愚人之心也哉！沌沌兮。俗人昭昭，我独昏昏；俗人察察，我独闷闷。澹兮其若海，飂兮若无止。众人皆有以，而我独顽且鄙。我独异于人，而贵食母。

［意译］

不去学投机取巧的东西，这样就能无忧无虑。唯唯诺诺和傲慢敷衍，这两种态度到底相距多远？善与恶，又相距多远？世人怕什么，我也会怕什么，我永远不去挑战人类的底线。我感觉到的世界，是广袤无垠、没有边际和外相的。众人都很高兴，陶醉在一种喜庆的氛围之中，就像享用太牢、春天登台一样，我却仍然很淡泊，就像不懂事、不会笑的婴儿，也像懒懒散散、逍逍遥遥、流浪在外的孩子。大家都才华横溢，显得非常富足，我却像被人遗忘、丢弃了一样。我是个混沌的人，有一颗混沌的心！众人都很聪明，都能眼观六路、耳听八方、明察秋毫，只有我显得糊涂，总显得那么浑噩。我的胸襟像大海般宽广，我的心像风儿一样自由。大家都很有用，都不可替代，只有我不成器。我唯一跟别人不一样的，就是我遵循大道的规律。

[导读]

智者说，他只能做好他自己。

你听听，这句话令人沮丧不？

但如果每一个人都做好了自己，世界不就好了吗？你是否玩过世界地图的拼图游戏？我们就像是每一个小小的单元，每一个单元正确，才能拼成一个正确的世界。

智者呀，什么才是做好自己？像大森林里的每一棵树一样吗？像山谷里的每一朵野花那样吗？无论风霜雨雪，只静静地伫立或摇摆，生机勃勃或凋零归藏？人的世界，如果和树、野花的世界一样简单就好啦!

您瞧,人世间的风霜雨雪厉煞人,那赞美、讥笑、吹捧、辱骂起起伏伏,弄得人心如水深火热;那些善呀恶呀是呀非呀颠来倒去,弄得人晕头转向;那些台面上的规矩台面下的规则,弄得人无所适从……

我们总是被红尘景象所吸引,或惶惶不可终日,或乐不思蜀难以自拔,或胡思乱想徒耗光阴,于是,迷失就成了原罪,烙印在我们的心里。

可是,你难道不向往淡然安详? 不想在风波四起时,仍安享宁静和幸福? 你真愿意随波逐流? 你可知道,人生中有一个非常重要的宝贝,它叫作选择,只要你点亮心灯,人生就会步入正轨。

所以,不妨停下你的胡思乱想,听听那位老人的话,如何? 他的话虽然有些陌生,却能改变命运。你可知道,人生中最悲哀的不是遇不到救赎,而是你明知前方是救赎,却还是扭头离去。

瞧,那老者的身后,有一扇充满光明的大门,正等着你走近。

[诗说]

老人道一曲长叹一声,

山谷中传来阵阵回响 ——

赞美与呵斥都只是声音，
生起的同时已消散无踪。
它与铜锣之声没什么区别，
也与此时回响本质上一样。
何必在乎那空谷回音，
何必让它卷走心中的清凉？

那美丑本是心的幻象，
那人生过程也只是记忆。
流行的价值观绑架了心，
心头的好恶仅仅是习惯。

从远古一直到今天，
乱纷纷中总是熙熙攘攘，
都想去享受丰盛的宴席，
都想在春天里眺望远方。

老汉我已经经历了太多，
早发现这一切只是幻象，

眼前纷纷扰扰正在过去，
就像那远去的云雾轻烟。

于是我选择了淡泊宁静，
无动于衷里默默观望。
我看上去像是混混沌沌，
也会露出婴儿般的笑脸。
我看上去像是疲倦闲散，
好像那浪子正在天涯。

众人都富有有所剩余，
我却两袖清风像穷光蛋。
众人像智者口若悬河，
我却一言不发像个蠢汉。
众人才华横溢光辉闪耀，
我却呆呆傻傻木疙瘩一般。
众人严厉苛刻明察秋毫，
唯独我毫不计较像糊涂蛋。
众人精明灵巧有大本领，
唯独我百无一用愚笨荒唐。

我之所以能够与众人不同，
是因为我洞见世界的真相。
我眼中的世界如水波流转，
波光潋滟中有万象在变换。
恍恍惚惚中有大海在汹涌，
恍恍惚惚不执着漂泊流浪。
静处观物动闲里看人忙，
穿行于万变安享心的清凉。

21．不畏流俗的背后

[原文]

孔德之容，惟道是从。道之为物，惟恍惟惚。惚兮恍兮，其中有象；恍兮惚兮，其中有物；窈兮冥兮，其中有精。其精甚真，其中有信。自古及今，其名不去，以阅众甫。吾何以知众甫之状哉？以此。

[意译]

最高明完美的道德，是以道为本体追求的。道是一种恍恍惚惚的境界，它是客观存在的。恍是心光焕发，惚是念头消失。惚兮恍兮，就是虽然念头消失，但因为心光焕发，所以可以观照到现象性的存在；恍兮惚兮，心光焕发时就算念头消失，也能随缘对外境生起妙用，不会对外物没有觉察。这种境界深远而幽暗，其中有着极为精微的物质。这种物质是真实存在的，可以被信验。从今天追溯到远古，道一直没有离开过，接受了道的本体，你就接受了道的概念，对万物及各种显现的起源的理解，也会受到这个概念的影响。我如何知道万物及各种显现的起源呢？正是依托对道的认识。

[导读]

有人说，他在坐静时看见了道；有人说，他在睡梦中看见了道；有人说，他在耕田锄草时看见了道；有人说，他在挑水砍柴时看见了道；还有人说，他在漆黑如墨的夜里行走时看见了道，觉得夜都不黑了。

有个人突然哈哈大笑，说到处都是道。他指着慢悠悠爬行的虫儿说：道在那！他指着随风舞动的野草说：道在那！他的手不停地指这指那，最后指向了一堆粪便，说：道在那！

你若问他们，能说说道究竟有什么特征吗？看见道的时候是什么感觉？他们只会两手一摊头一摇：不好说。

到底，有没有人能说出来的？

于是，你看到了"恍惚"这个词。你问，啥叫"恍惚"？是念头忽然消失吗？我说不是。你又问，那该不是头晕晕的吧？我笑了，说当然不是。说罢我指着窗外的天空，问你那是什么。

你循着我手指的方向望去 —— 当然，你什么也没看到，于是你
收回了提问的心，聚精会神地寻找答案。就在你的观照之心被提
起，念头全都消失的瞬间，我对你说，就是它，你明白了吗？我
看到，一个巨大的世界在你的心里展开，你像一滴水那样融了进
去，你心里所有的问题刹那间都息灭了。在那个世界的中央，有
一位老人正端坐着。你向他走去，他用笑容迎接着你。就在你们
的视线相交的瞬间，一首天籁般的歌曲流入你的心底……

[诗说]

老人看了看投入的我，
他眯缝了眼继续说道 ——

那真相就藏在万物之中，
最好的德行是顺应自然。
明白真相更要融入真理，
在真理的境界里静观万象。
融入真理后眼界大开，
生命中就会光明朗然。
那光明我称之为恍惚，
其实是一种境界呈现。

但那恍惚不是迷糊蒙昧，
反而是一种灵明的境界：
那恍字是洞察力心有明光，
能清晰地知悉万物真相；
那惚字代表不再有执着，
远离了流行的概念和偏见。

那境界之中分明有物，
却不是眼中所见的表象。
它玄玄妙妙有无穷精妙，
无穷精妙中更有殊胜体验。
那是亘古不变的真理实相，
只能用鲜活的生命去亲尝。
那是智慧最直观的味道，
无关理性亦远离逻辑思辨。
它藏身于万物之中，
默默静观便可发现。
发现之后还要融入，
同样是明白中静观万象之变。
日久天长就可清除蒙昧，

光明朗然再无混乱和阴暗。

此时就是我说的圣贤，

他无为无不为逍遥随缘。

他心游于天地之外，

行动于无为虚静之中，

奔驰于红尘礼教之上，

耳听无声的大道之音，

眼看无色的大道之象。

因此人世拘束不了他，

流俗捆缚不了他，

他像翱翔于九天的雄鹰，

能自主地掌握前方航向。

而常人总是在乎世俗，

心中缺乏自由的意志，

精神颓唐为因果所累，

与蛛网中的苍蝇没有两样。

那蛛网便是对外相的执着，

心生执着便有了挂牵，

有所挂牵命运也会上锁，

故要看清外相的本质，

不要流连那一景一时。

须知一切都只是暂时，

此时真实下一刻就变。

世上无一物可以停驻，

也无一相不会变换模样。

所谓的无为没多么复杂，

就是看清真相不再跟随念头，

让心待在它该待的地方。

虚静中不会被念头欺骗，

不再臣服于礼教成见。

更知道天地在心中也无非念头，

看透念头本质就可得到自由。

善用念头还可利益众生，

只因世间万象无非源于念头。

圣人虽时时神游于太极，

治国却常常安神于胸内，

他的智慧虽超迈古今，

但大多着眼于百姓生活。

用仁诚之心播洒甘霖，

让春生夏长秋收冬藏，

用公心养民律法规范，

用大道教化宽恕施政。

天下人虽多而心拙朴，

则不会生起害人之奸心。

要是清水变得浑浊，

鱼儿必然会游上水面吸气；

要是社会过于沉闷苛刻，

百姓也必然挣扎生出乱象；

要是上层贪欲太盛，

下面必然虚伪丛生；

要是上层老是骚扰百姓，

社会必然难以安定和睦。

要是上层有太多喜欢的珍奇，

下面也会仿效着争夺。

治国要从根本上着手，

不要扬汤止沸，

而要釜底抽薪。

22．曲直之间

曲则全，枉则直，洼则盈，敝则新，少则得，多则惑。是以圣人抱一为天下式。不自见，故明；不自是，故彰；不自伐，故有功；不自矜，故长。夫唯不争，故天下莫能与之争。古之所谓"曲则全"者，岂虚言哉！诚全而归之。

［意译］

委屈自己才能做到周全，原本弯曲才能变直，居于低处才能百川入海，陈旧才会有新的事物出现，发现不足才会有所收获，拥有过多才更容易迷惑。所以，圣人以遵循大道规律来应对纷繁世界。不固执己见，不以成见和偏见来判断世界，就会有真正的智慧；不自以为是，就能影响世界；做事而不执着，不沾沾自喜，才会有功；不觉得自己比别人好，才能长久。
你如果自己不跟别人争，天下就没人跟你争。古时候，有很
多忍受不公平，忍受曲、枉、洼的人最后都得到了圆满——
这可不是假话啊！如果你能真心诚意地去实践，你的目标就
能达成。

[导读]

不知是不是世界颠倒得太久了，你觉得已经不太容易听懂
智者的话语了。那话语，听着分明也是颠倒的——

我们要求全，可智者说得先让自己体会一把残缺不足；我们
要直接达到目的，可智者说得先走个弯路；我们要收获满满，可
智者说得先把自己腾空……

世人看智者很颠倒，智者看世人也很颠倒。

在颠倒的世界里，我们培养出了一套颠倒的感知系统、一套
颠倒的价值系统和一套颠倒的行为系统。

什么两点之间直线距离最短；什么越多越好、越快越好；什
么要尽情彰显自己，试问谁与争锋；什么先下手为强，后下手遭
殃；什么会哭的孩子有奶吃……

总之，就是一个"争"字。争利益，争功劳，争荣耀，争名
声，还要争聪明，争长久……这样的生活，看似对自己有利，

但人与人之间却没了和谐，到处都是机心暗涌，到处都是火药味，雪中送炭的人越来越少，哪怕一个简单美好的愿望，实现起来也非常困难，很多人都活得越来越累……

真的非要争当那个最优秀的人吗？

瞧，老人的声音横空而来，振聋发聩："不争！"—— 不过你看，老人的语气并不悲凉，反倒像是《皇帝的新衣》中的那个孩子，童心中透出狡黠。你说，这是为啥？

[诗说]

老人发出了一声哂笑，
童心中透出一丝狡黠——

红尘中总是充满荒诞。
我看到委曲者总能保全，
我看到弯曲者总能伸张。
我看到低洼处总会充盈，
那老树也总会吐出芬芳。

我看到少欲者总能得到，
我看到贪婪者总会愚痴，

于是我总是守着根本，
想为天下人做个榜样。

不被自己的成见障蔽，
你才会有智慧的闪光。
不要自以为是固执己见，
你的智慧才会贯彻生命。
不要老是自吹自擂，
才会有众人助你成功。
不要总是自矜端着架子，
你的事业才可能源远流长。

当我们远离了争斗之心，
便不会再有阻你的逆缘。
故智慧总显得以曲为上，
学会顺世才能实现梦想。

我说的这些不是空话，
它们是通向成功的桥梁。
智者当详察莫等闲视之，
让生命本有的智慧发光。

23．穿越千年的默契

[原文]

希言自然。故飘风不终朝，骤雨不终日。孰为此者？ 天地。天地尚不能久，而况于人乎？ 故从事于道者，同于道；德者，同于德；失者，同于失。同于道者，道亦乐得之；同于德者，德亦乐得之；同于失者，失亦乐得之；信不足焉，有不信焉。

[意译]

话越少，概念越少，越接近自然。狂风刮不了一个上午，暴雨很少会下一整天。谁让暴风骤雨不能长久？ 天地。天地尚且不能让过于猛烈的行为持续一整天，更何况是人呢？ 因此，真正的修道者，同于有道者而能自得，同于有德者而能自得，同于失道失德者亦能自得，无不自得（没有隔阂障碍）；此种真谛，信力不足的人，是不会相信的。

[导读]

"自然"，多么令人放松的词语。

我看到了那一片广袤的大漠，一轮圆月静静地洒下清辉；我听到了山脚下的河滩中哗哗的水流声；我感受到了一股策马扬鞭驰骋于原野的快意……

智者说，道的规则就是自然。参透了自然，就参透了道的智慧。

这听着很抽象吗？

来，让我们用心地观察，只是坐在那里，静静地观察，保持绝对的沉默。

用一整个早晨，去听风的豪迈心事，倘若他真的能唱一早上的《大风歌》；用一整个白天，去听雨的婉转愁肠，倘若她真的能吟一整日的《雨霖铃》；用一整个世纪，去看人们的生老病死……

自然不喜欢烈火般的炽热，那会把一切都烧毁；梦想也不喜欢这样，它喜欢用一生去践行，让每一刻都留下很美的记忆；爱更是这样，那些疯狂、热烈又盲目的爱，往往会在生活的摩擦中变淡，然后慢慢被磨光。所以，与其勉强自己，不如安坐在当下的自然里，放松，惬意，坦然，做你想做的事情。

瞧啊，无尽的静寂里，有一片广袤的大漠，皎洁的月亮把清辉洒在它身上；远处的山脚下跑过一匹骏马，充满生机的蹄声正在空谷中回荡；还有哗哗的流水声，百鸟的啾鸣声，风儿吹过树林的沙沙声，蛙声，脚步声……静静地聆听着这一切，静静地观察着这一切，你的心中就会生起一丝丝的喜悦。所以，那老者才说，道的规则是自然，参透了自然，就参透了道的智慧。当然，这"自然"还有更多的含义，你可以去读那本叫《老子的心事》的书。只是，你不要用思虑来干扰当下，也不要用分别心中诞生的问题，扰乱这份纯粹和安宁，更不要用人造的概念，去定义非人造的大道。

要不，你还是沉默吧，在沉默中聆听风的心事，跟它一起高唱那首《大风歌》。但你没有刘邦的悲壮和无奈，也不需要猛士去安守四方。你的四方在你心里，与道合一的那一刻，你就是自心的王。你也可以在沉默中陪伴春雨，让它那丝丝点点的雨滴，打在你的心里。你还可以在沉默中观察万物的变化，观察生死的流转，观察白昼如何被黑夜吞没，观察黑暗如何被曙光驱散……

沉默的你，会觉出造作的多余。

沉默的你，开始融入自然。

沉默的你，耳边又响起了那首亘古的歌谣，它正在歌颂着你心中那个逍遥的秘密……

[诗说]

　　　　老人望着我眼露慈悲，

　　　　说雪漠你定然知晓我的心事。

　　　　你常说智慧是生活方式，

　　　　自然而然才能通晓天机，

　　　　你是不是知道，

　　　　这正是我想传递的秘密?

　　　　真正的智慧就是自然，

　　　　所有的勉强都不能久远。

　　　　狂风刮不了一个早晨，

　　　　暴雨很少能咆哮一整天。

　　　　天地的狂暴尚不能长久，

　　　　何况人只有暂时的肉体。

　　　　向往大道者要融入大道，

　　　　倡导德行者要以厚德为常态，

　　　　只有将道德化为生命程序，

在日常生活中体现价值，

以生活方式来承载智慧，

那向往和倡导才有意义。

乐于道者才会得到大益，

乐于德者才会拥有德体，

失败者总有失败的行为，

也会相伴着失败的结果。

当一个人诚信不足时，

就不会得到他人的信任。

这世上的一切都是这样，

总是种瓜得瓜种豆得豆。

因此要合道保全真心，

切不可轻率损坏肉体。

不要胁迫他人欺负弱小，

要像春风拂面一样应世。

遇到外缘时精诚相待，

通达神明如天空般圆融，

一碧万顷中没有滞碍，
变化万千却不离本体。

也要效仿大地端方坚韧，
善养万物却没有私心。
净垢皆载于苍茫大地，
无边无涯故难窥其门。

要抱阴负阳刚柔相济，
步履隐忍而头顶光明。
无求胜之心故无败绩，
亦无固定不变的形迹。
像日月运行轮转无穷，
像四季运行周而复始。

静要效法天地大美无言，
动则宛如日月照亮苍生，
喜怒像四季交替般适宜，
屈伸自然不废五行之功。
号令像雷霆一样有威势，
声气相和不扭八方之风。

当善于利用自然所赐，
顺应自然借自然之能，
夏季多雨则开渠放水，
冬日水枯则蓄水筑堤。

因地势高耸而为大山，
因地势低洼而为大池。
借自然之力各得其便，
效法江河善下而不争。

道混混沌沌弥漫宇宙，
当无为而为循道而行。
养身合大道不失道妙，
应物循道理守善不迁。

24．不是勉强，是在生活

　　跂者不立，跨者不行。自见者不明；自是者不彰；自伐者无功；自矜者不长。其在道也，曰余食赘形，物或恶之，故有道者不处。

　　就像踮着脚走路站不稳一样，作秀得来的东西是不会长久的；就像跨步走路走不远一样，以急功近利的心态做事也是不长久的。固执己见的人没有智慧，自以为是的人不可能把事情做大；自我炫耀的人没有功劳；自高自大的人就算不炫耀，也不会有长久的成功。对于大道和修道者来说，跂者、跨者、自见者、自是者、自伐者和自矜者在乎的东西都是多余的，这样的行为也是没有意义的，有其中的任何一种毛病，都会被自己所在的环境和世界所厌恶，所以，有道的人不会犯这些毛病。

[导读]

你总在思考，托腮思考，挂额思考，你想弄明白自己距离道究竟有多远。智者说，不远不远，就是一顿剩饭的距离，或是一个赘疣的距离。

你更迷惑了。

倒掉那剩饭，去掉那赘疣。它们不过是人们的勉强和造作。

假的东西总是多余，勉强的东西总是无法持久。

问题是，你知道自己什么时候在勉强，什么时候在造作么？也许，你已经习惯了自我催眠和自我哄骗——

勉强勉强就成自然啦！

装着装着就成真的啦！

骗着骗着自己都信啦！

人生如戏全靠演技嘛！

只是，没有任何一个剧本的名字，叫作"道"。

[诗说]

　　　　老人孩子般踮起了脚尖，

脸上有一抹滑稽和戏谑 ——

瞧呀，这便是勉强而为，
就如徒劳地对抗地心引力。
拼命跨步不会长久行走，
踮起脚尖不能长久站立。
当一个人违反天性勉强自己，
就不可能成为生活方式。

固执己见者没有智慧，
自以为是者事难成功。
自我折腾者定然夭折，
自矜自骄者必定短命。
远离执着者自然健康，
循顺天道者必定长寿。
不去勉强者就会快乐，
不想占有者方可自由。

那天道便是我说的道，
它是天地本原万物之母，
万物形式不同皆源于此。

若能洞悉精微超然物外，

就能体恤百姓造福苍生。

道至大无边恩盖万象，

无有疏漏为万物之贵。

道生万物提供原动力，

德养万物能保持久长。

大道是至亲不可疏远，

离近求远者舍本逐末。

体道要超越个人成见，

远离偏执不与道相悖。

勉强作秀是修道的垃圾，

像吃剩的食物和身上的赘疣，

连鬼神也会憎恶作秀，

修道者要远离这些行为。

行为别违反自然天性，

要让无为成为生活方式。

当明白像呼吸那样自然，

才算拥有真正的智慧。

所以圣人治世不要多事，
要休养生息自然而为。
既不要超越外部条件，
又不要扰乱自己心神。

精神若是太过达于远方，
定然会忽略眼前的事物。
故要收敛心神专注做事，
不问结果也不求那成功。

少大张旗鼓地施舍，
多默默无闻地造福。
少好大喜功的空话，
多令行禁止的诚信。
不强为而一心利众，
精诚所至定然金石为开，
天下百姓无不响应，
世上有何事不能达成？

善政如寒冷冬天的温暖太阳，

也如炎热夏天的清凉绿荫，

不用召唤则万民自来，

不用强推而自然功成，

顺乎自然看似懈怠，

却像甘霖那样施恩于苍生。

25．周而复始的秘密

有物混成，先天地生。寂兮寥兮，独立而不改，周行而不殆，可以为天地母。吾不知其名，强字之曰"道"，强为之名曰"大"。大曰逝，逝曰远，远曰反。故道大，天大，地大，人亦大。域中有四大，而人居其一焉。人法地，地法天，天法道，道法自然。

[意译]

有一种存在是混沌的，天地宇宙出现之前，它就已经存在了。它既没有声音，也没有形状和边际，并且不是因缘和合而生的，因此它独立于万物，不会变化。它周遍一切，循环往复，无处不在，并且永不懈怠，是天下万物的本源。我不知道它的名字，只能勉强称之为大道。"大"是一种说不清的境界，它无边无际，没有极限，辽阔悠远，但又能回归本源，不离本体。道有这个特点，天、地、人作为道的载体也有这个特点，所以说道大、天大、地大，人也大。法界有四大，人只是其中之一。人类依托于大地的法则而生存，大地依托于宇宙的法则而生存，宇宙依托于大道的法则而生存，大道依托于道体的法则而生存。

[导读]

你在戏里太投入，投入得困倦极了，你累得进入了梦乡。依稀间，你在向一个空旷的所在，倾吐你的愁闷。

你说，我也不想演戏呀，我也不想勉强和造作呀，可是我更不想接受渺小的自己，仿佛一无是处，如果我不表扬自己，谁来表扬我？如果我不彰显自己，谁来彰显我？小小的我，必须刷出大大的存在感。

那空旷中传来一阵笑声，包容而又温暖：你怎么会是渺小的呢？

你是道的造物，你在天地之间，道有多大，天有多大，地有多大，你就有多大。

那道，你见不着，却时刻不离你。它是天地运行的法则，而你，因为天的罩护、大地的承托，才有生而为人顶天立地的气概。

你是"大"人。

　　你以为自己渺小，是因为你看到了自己的分别心。分别心很渺小，依托分别心存在的你也很渺小。因为，你终将消失，无论你怎么刷存在感，都刷不出永恒。你不如去发现道，去发现自己与道的关系。

　　这时，你就会明白：

　　大我无须彰显，便傲立于天地之间；

　　大道无须表现，便存在于万物之中；

　　即便无人发现大道，也无人能忽略大道。

　　因为，它是万物运行的法则，而你，则是这法则的呈现。你缺的，只是发现它，看清它，与它融为一体。这时，渺小的分别心自然会消散，你就能与天地并列。

　　[诗说]

　　　　　我问老者能否讲得更加清晰，

　　　　　老人的微笑里充满神秘，

　　　　　他说道只是一个名字，

　　　　　还不能代表他想说的物事。

　　　　　世上的语言总是苍白，

无奈何才用了这个"道"字。

在天地生成前就已有道，

无生无死也无终无始。

它安住于静寂难闻诸声，

它不依托他物永恒独立，

它藏于万物中生生不息，

它是天地的母亲，

它是万物的母体。

其小无内比量子还小，

其大无外涵盖了宇宙。

它周遍一切永不中断，

它运行不息遥不可及。

它陶冶万物而无形无相，

达到虚无淳朴的境界。

它总是静悄悄不动声色，

通达浑厚而广大幽深。

它遥不可及却不离本原。

因此我常常称之为大道。
天虽大地也大道却更大，
人也是承载大道的杯子。

我们要学习大地的奉献，
大地要效法上天的无私，
天则效法大道的自然，
所以任自然便是修道。

当我们安住了道心本体，
让无为成为生活方式。
积极有为却不执着结果，
在淳朴自然中享受过程。

修道和做人一样只是过程，
世上万物也各随其轨迹，
它们仅仅是在完成自我，
从开始的当下便走向死去。

所有事物的结局已定，
没人能控制万物的运行，

当我们改变不了结果时，
只能改变面对它们的态度。

无为的心态是世上至宝，
它顺其自然却无事不办，
就像那天空虽清净无为，
却总能滋生出风云雷电。

彩笔浓墨染不了天空，
有为造作也染不了无为，
要知道有为只是镜花水月，
总会被岁月的飓风抹去。

26. 轻与重的缘分

[原文]

重为轻根，静为躁君。是以君子终日行不离辎重，虽有荣观，燕处超然。奈何万乘之主，而以身轻天下？轻则失本，躁则失君。

[意译]

重是轻的根本，静是躁的主宰。因此君子不管到哪里去，都会带上他的粮草，不管做什么，都会事先做好准备。虽然足够的辎重让君子看起来非常庄严，也让君子得到了人们的尊重，但他只是淡然处之。为什么大国的君主却因为自家的国力强盛，就轻慢地对待天下人呢？所以，轻浮，不慎重，或是过于不在乎，就会损伤根本;过于在乎，躁动不安，就会失去心的主体性。

[导读]

我躺在一棵茂盛的无忧树下，闭目凝神。忽然，一片轻吻落在了我的眼上，是一朵无忧花的花瓣。我看向树顶，不时地就会有几个花瓣伞兵，飘飘摇摇地落下。

它们是轻盈的。它们是无忧的。它们知道，有厚重的树根，支撑着它们的轻盈和快乐；那静立的树干，造就了它们的自由舞动。它们的岁月静好，已有了厚重的根基。

追求岁月静好的人们呀，你们是否也有同样厚重的根基？

你们行走在世间，以什么作为你们的辎重呢？

你们的轻盈快乐，你们的自由舞动，可有静定的承托？

每一个举重若轻的背后，都有一份厚重静定的承担。

我问你知不知道无忧树，你说当然知道，两千多年前，摩耶夫人在无忧树下生出了佛陀，这个世界从此多了一盏明灯，无数人因此脱离了痛苦，快乐无忧地活着。

我说，那你知不知道它又叫火焰树？你摇了摇头。我又说，它之所以叫火焰树，是因为它的花朵很像火焰。大风吹来时，因为根系深深地扎在泥土里，高大健壮的树身就不会被摇动，但那一朵朵的小火焰却会御风飞翔，完成另一种旅行。花朵的飞翔之所以潇洒美丽，是因为大树没有被撼动，根系还深深地扎在泥土里。灵魂也是这样，灵魂的潇洒，需要以不动的主体性为根基。如果缺少了这个根基，灵魂的飞翔，就成了无奈的流浪。

你说，这是不是"重为轻根，静为躁君"呢？我笑了。你又说，"虽有荣观，燕处超然"是否也是这个原因？这次，时光背后的老人笑了。他的笑声不大，若有若无，若存若亡，但穿透力极强，一旦跟你建立了灵魂的联系，它便能穿越千年的时空，刹那间抵达你的心里。那么，你何不趁机提出你的问题，听一听这位本尊的回答？

[诗说]

老人用深邃的目光看你，

微笑之中透露着天机。

他说，虽名无为但需要条件——

有为是达成无为的台阶，

无为是有为之后的结果，

人生要有重有轻才有根基。

要明白重是轻的根本，

若没有重的根基，

轻就是无根之木。

所谓的重是分量和厚度，
所谓的轻为高度和超然。
重若是大地轻便是天空，
轻若是支流重便是汪洋。
海纳百川源于重的根基，
重而无忧源于轻的超脱。

大渊深广包容不择细流，
才吸引轻歌曼舞的小溪；
老成持重者有无为之心，
才构成百川入海的盛况。

但若是没有积极的行为，
无为就只是海市蜃楼。
若是积极而不懂自制，
行为就容易失去分寸。
自制的根本乃是虚静，
虚静中才有知止之明。
所以重是轻的根本，
静是动的君主。

宁静淡泊是养生之本，

和悦虚无是守德之法，

外不乱内让性得其位，

静不动和让德生其能。

以养生之德经世致用，

以安享大德终其天年，

血脉无郁滞之气，

五脏无壅堵之瘀，

祸福不能使其堕落，

毁誉不能让其蒙垢。

守静要经得起外界干扰，

能动中不动遇浊而清。

君子轻松行事而不求诸物，

但不乏支持他的生活物资。

眼前虽有无尽的繁华，

君子却仍像安坐于静室。

这便是最为上乘的静功，

能在有为之中不着于行。

你瞧那些远飞的小鸟，
日落后总要回归巢里。
你瞧那些觅食的野兔，
天黑前一定要回到窟中。
寒蝉死时要依附于树干，
狐狸死时要回归于山丘。
它们都明白一个道理，
那就是守住生存之本。

君王的根本便是百姓，
必须把民生放在首位。
我常见那些大国君主，
动不动就会轻率从事，
急躁不安丧失心的主体，
轻率行事则会动摇国本。

因此要先构筑重的基础，
才会有真正的恬淡从容。
体用结合构成轻重之景，
有体也有用方能有大成。

27．圣人的妙法

［原文］

善行无辙迹；善言无瑕谪；善计不用筹策；善闭无关楗而不可开；善结无绳约而不可解。是以圣人常善救人，故无弃人；常善救物，故无弃物，是谓袭明。故善人者，不善人之师；不善人者，善人之资。不贵其师，不爱其资，虽智大迷，是谓要妙。

［意译］

真正善于行走的人不会留下痕迹；真正善于说话的人不会留下把柄；真正善于计算的人不借助任何工具；真正善于关闭的人，就算不上门闩别人也开不了门；真正善于捆缚的人，不用绳索而使人不能解开。圣人善于帮助别人、拯救别人，不会抛弃别人。圣人也善于运用各种物件，总能物尽其用，不会随意丢弃。这就是善于借鉴所得到的智慧。有智慧的人是没有智慧者的老师，没有智慧的人是智者的资粮和借鉴。如果一个人不尊重自己的老师或能当自己老师的人，也不爱惜不如自己的人，那么他即使很聪明，也是一个迷路的凡夫。这是真正精微玄妙的真理，也是最根本的奥秘。

[导读]

你见惯了叱咤风云者，做点什么事，都总是弄得震天动地；他们的豪言壮语也被历史铭记，哪怕是一些偏颇之言；他们为这个世界制定了价值标准——什么是好的，什么是坏的，什么是有用的，什么是该抛弃的……

据说得道的人有最高的智慧，还有最善的悲心，他们和叱咤风云者不是一个路子。你很好奇，智者又不是三头六臂，他们有什么更妙的法子？

智者明白：飞鸟从不会在天空留下飞行的痕迹；不言之教才能深入人的内心；对世界了了分明的人还需要掐指一算么；而世人能关上的只是外界的纷扰，关不上自己的欲求；不可解开的根本不是什么绳索，而是那一条因缘链啊……

既如此，何人不可救，何物不可用呢？在回归大道的路途之中，既有你的榜样，使你见贤思齐；也有你的镜子，使你引以为戒。

在梦境里，你又遇到了那位老者。

你问，人海茫茫，该如何辨别谁是圣人，谁为凡俗？

老人说："圣人没有对名利的渴求，因此总能默默做事不着痕迹；圣人心无分别从不偏激，因此很少会祸从口出；圣人不怕吃亏也不想占便宜，所以从不推敲算计；圣人没有私利需要看护，所以不需要门闩也没人来盗取；圣人总是奉献和救助，所以不轻易放弃任何人和物。若是你见到这样的人，他很可能已经合道。"

你又问，如果不但想认出圣者，自己也想超凡入圣，又该如何去做呢？ 老人闻言欣慰地笑了，他的话语中有无尽的清凉，一抹抹一晕晕荡向天际……

[诗说]

　　　　当你安住于大道本体，

　　　　就会有圆融通达的行履。

　　　　当你将无为变成本能，

　　　　就会有恬淡自在的人生。

由于远离了自我偏见，

善于行走者不留辙迹。

做而无做不执着结果，

才有那一份光风霁月。

由于远离了刚愎自用，

善于说话者没有偏见。

他不再逞那口舌之快，

从此远离了荣辱得失。

由于远离了小我的计较，

善于谋划者用不着算计。

他拥有大公为民之心，

因此能天下归心成就事业。

由于远离了自私自利，

善于守护者不再用锁钥。

他打碎了自我的枷锁，

世上万物就无来无去。

由于远离了功利分别，

虽没有绳缚也无人毁约。

行事就如春风般化物，

一面明镜可照天照地。

圣人的眼中都是善人，

人尽其才便不再弃人。

圣人的眼中一切是营养，

能物尽其用便没有废物。

这便是用人用物的智慧，

安住于大道会得道多助。

国家之昌盛在于得道，

国家之危亡在于失理，

有道者虽小亦大，

失理者虽大亦小。

用人先用有远见的先知，

他是可望而不可即的人中之龙。

博闻强记者知识外溢，

玩弄言辩者于事无补。

傲视一切者不通流俗，

总是轻贱他人以自娱。

以上三者即便是人才，

也很难委以治世重任。

只要明白了道之精要，

治世当以愚笨守之。

有些人看上去拘泥于外，

其实可能是国之重器。

用人不能用最高标准，

对常人不应求全责备。

不能让小儿托起泰山，

要量力委以相应之职。

善者是不善者的老师，

不善者是善者依托之资。

你要想盖那参天的高楼，

离不开栋梁也少不了瓦砾。

要是你不尊重你的老师，

或是你不爱惜依托之资，

虽有小智也还是愚人，

不可能成就济世之大事。

捕鸟时需要结一张大网，
捕得鸟时只用一个孔目。
但你要是只用后者去捕鸟，
则只能一事无成劳而无获。
所以做人不要过于功利，
要广结善缘积德以待时。

要想养鱼先得修好池塘，
水深的时候鱼容易生长，
等到鱼群在浅水中来去，
你便无须带着鱼叉跳入海洋。

要想引鸟则要首先栽树，
树茂林密自然有鸟儿栖息，
待得枝丫上随处见小鸟，
你便无须背着工具上树。
只要你有足够的理由，
天下贤才就会来找你。

哺乳的母狗会搏击猛虎，

孵卵的母鸡会扑向狐狸。

它们之所以不自量力，

是亲情让它们奋不顾身。

对贤才同样要施以大恩，

恩之所加才有人效命。

所以不用怕得不到贤才，

只管专注于修炼自己，

只要你成了良木汪洋，

那俊鸟大鱼自然来找你。

贤者期待金印以显地位，

能者期望土地积累财富，

与其给弱者黄金珠宝，

不如给他们实用的衣物。

敬贤要明白他们的需求，

体察民需民情依人而予。

凤凰翱翔于千仞之上，

没有梧桐树它不会栖息。

智者总是代不乏人，

但没有善主他不会依附。

即便是百星一起发光，
也不会有朗月的光明。
即使是百人一起用力，
也不如得到大才相助。

木棒虽然到处都是，
但不能做盖屋的椽子。
修能容诸物的高楼大厦，
一定要备好相应的材料。

每个人的认识都有局限，
行大事要借助贤人经验。
主观的所知总是狭隘，
明事要不断地探索未知。

刺探我行踪者不一定为敌，
也可能想和我一起做事。
非议我者未必有憎恨之心，
可能是希望我更加优秀。

走一步棋不可能知其智慧，

拨一根弦不一定能知大音，

不要片面武断地妄下结论，

必须全面观察后再做判断。

要是上游的水道堵塞，

下游的水库就会干涸。

山丘若是被水冲为平地，

下游的河道就会被壅闭。

山谷之所以能容纳百川，

是因为它旁边就有大山。

当我们没了嘴唇的时候，

牙齿就会在隆冬里受寒。

人与社会的关系很紧密，

君王与百姓的关系亦然。

人不能孤立地生活在世上，

一定要处理好与他人的关系。

那得失荣辱仅仅是念头，

了然无物中容纳万物。

当善待你遇到的诸多人事，

就像太阳般关照万物，

更像大地那样容山容水，

才能道行天下应化万物。

28．上德似水

　　知其雄，守其雌，为天下溪；为天下溪，常德不离，复归于婴儿。知其白，守其黑，为天下式；为天下式，常德不忒，复归于无极。知其荣，守其辱，为天下谷；为天下谷，常德乃足，复归于朴。朴散则为器，圣人用之，则为官长，故大制不割。

　　拥有太阳一样的雄心，却像大地般柔顺宽厚，你就有了山谷一样的德行；当你像溪水那样，将太阳之心和大地之行变成生命常态，道德就会变成你的本能，你的心会像婴儿般单纯干净、质朴自然。你心里明明白白，对一切都明察秋毫，表面上却愚钝昏昧，糊糊涂涂，没人能看出你有智慧。这时，你就会成为天下人的模范和榜样，你的德行就不会出错，你也会慢慢回归大道至理。知道如何得到荣耀，却甘愿做一些别人觉得低下的事情，你也就做到了虚怀若谷，能够汲取全天下的营养。当你虚怀若谷，能吸收全天下的营养时，你就有了真正的内证功德，这时，你也就归于自然朴素，毫无造作表演了。当你将大道的智慧用于生活时，你所有的行为都会成为大道的载体和妙用，你也会成为那个领域中具有影响力的人物。所以，有大格局的人不会将注意力局限于某个细节，更不会破坏细节，将它从整体中割离，他注重的是整体。

[导读]

你说，得道者那样低调，怕是无法在世间形成什么影响力吧？或者说，世间有影响力的人物，比如帝王，要是学习了道的智慧，还能治天下吗？

谁能想象秦始皇那样的雄主，不再追求雄强，不再征服天下，而低调雌柔呢？那好战的汉武，会甘于黄老之术的平平淡淡吗？他能允许自己成为波澜不惊的文景之治的续集吗？还有那明君唐太宗，会舍弃那万邦来朝的大唐荣耀吗？

我翻遍历史，想找到一个鼓舞人心的例子。

最后，终于找到了，那是三皇五帝的时代。

他们说，黄帝和尧舜，都是"衣裳垂而天下治"，听着很像一个神话。

衣裳垂，可不是垂着两手啥都不干。

至少，什么都不干之前，得做好一件事 ——

制定合乎道的规则。

[诗说]

老人的眼中充满了含蓄，

瞳仁像深不可测的大池，

我如临深渊看不到底，

心中却涌动着阵阵暖意。

老人的声音像一缕轻烟，

悠悠扬扬在空气中飘荡，

声音很淡然却充满力量，

一下下撞进我的胸腔 ——

你虽然明白雄健的力量，

但还是要守住雌柔之心，

就像那虚怀万物的山谷，

恒常坚守无言的低调与承托。

那上德好似无执的婴儿，

纯净柔美有无穷生机。

它遇圆则圆遇方则方，

总能因势利导发挥大用。

上德如水滋养万事万象，

古今的繁荣皆源于上德。

具足上德者即为圣贤，

具足上德的君王便是圣君。

圣者得民心好似江河，

不择细流才成就浩荡，

其水虽淡泊而且无味，

却滋养万物用之不尽。

真正的德行须成为习惯，

真正的胸怀须容纳一切，

就像那宽广空旷的山谷，

恒常拥有包容的大德。

厚德与生活方式合一，
我们的生命才能圆满。

这时从绚烂归于平淡，
朴素却暗合大道天机。
你虽然知晓荣耀之途径，
但还是拥有低下的心态；
你虽然明白光明之可贵，
却还是不舍昏昧之外相。

甘愿在寻常中守护真机，
安住平常心当一个范本，
德行圆满智慧没有缺失，
你就会成为那大道本身。

勇敢而好问的人胜人，
博学而好问的人圣明。
智慧外达能生起妙用，
作用于世就能影响他人。
所以君子有整体思维，
不会计较那一时一地。

人的一生应着眼于战略，
别去纠缠眼前的小事。
当拣鸡毛蒜皮成为习惯，
你就会成为平庸的愚人。

是故君子当守义安信，
明时势明变化不重小术，
不要投机取巧与民争利，
而要真正地造福百姓。

天下人天下物无量无数，
个人的智慧毕竟有限，
若用浅薄智慧造福万物，
会力不从心难于登天。

盲人的视力虽不正常，
他的耳朵却仍在作用。
聋人虽然没有听力，
但其眼睛却仍能视物。

兰花固然芳香诱人，

可惜见不得秋日之霜。

君子用人要用其所长，

不可蔽人所长用其所短。

盖房虽然离不开椽子，

只有椽子却不能成屋。

战车虽然离不开辐条，

一堆辐条却不能远行。

瑟二十五弦各应其声，

弦有缓急方可成妙曲。

车三十辐各尽其力，

配以车辕等才可远行。

与骏马竞跑人不如马，

若是乘车则马不如人。

能洞明大道的人做事，

善于借力故容易成功。

善用人者如百足之虫，

虽有百足但各不相害。
舌头牙齿虽时时相磨,
却软硬和谐不相互损败。

石头坚硬而兰花芬芳,
这取决于其天性基因。
君子用人也要循其特性,
人尽其才物尽其用。
且要循其天性区别对待,
奖励扶持或抑制惩戒,
不要手有病却去医足,
不要混淆是非不明其性。

不要把臭老鼠留在供台,
却想借烧香木芬芳大殿。
不要自己已跳入污水,
却厌恶被水弄脏的衣裳。
不要常常去亲近小人,
却想求得国家的安宁。
这类矛盾皆由自己造成,
要从根本上对症解决。

死而复生不会回到从前，
圣人做事最在乎缘起。
花开太早容易凋零，
早熟者总是很难长久。
常常失败者易生顾虑，
好出风头者缺乏坚韧。

历史上那些巨大的祸患，
皆源于用人上出现失误，
不敬圣贤或误用匪人，
都会引发巨大的灾难。

当灾祸来临的时候，
往往会天地不和阴阳不通，
小人得势君子消亡，
五谷不丰圣贤内藏。
这种种局部的显现，
预示着整个系统出现问题，
要细心观察及早解决，
不要等乱象频发才能醒悟。

更要学会上工治未病，
不要种下灾祸的种子。

日明月明才能照亮十方，
君明臣明国家长治久安。
圣者洞悉其运行程序，
才知晓社会变化规律。

君王给百姓以安定的生活，
百姓会回报国家以财富。
君王若以礼尊敬爱戴，
百姓会为国家献上生命。

当德行高过自己的地位，
必然会受到天下的尊敬。
当俸禄高过自己的德行，
可能会招致意外的凶险。
小鬼享受不了神的祭祀，
德不配位者盗名欺世。
故做事先要修道行德，
众望所归会百川入海。

积众人之力无事不办，

集众智所为事无不成。

集千人之愿永不绝粮，

集万人之能没有废功。

权力要遵循大道之势，

群众的力量才会无穷。

任何事物的最终成功，

都是一个个系统工程，

离不开其他条件的配合，

要辩证地看到彼此关联。

不要片面地夸大局部，

办事或治国都要考虑全局。

也当明白人天的关系，

通晓世界治乱的缘由，

澄心洁虑通观道变，

以无为之心达成目的。

明大道者能洞悉一切，

源于对世界的研究认知。

明居于何处行当何往，

明行止亦明其机遇条件。

明礼明法要通观全局，

同时贯穿积德的理念。

赏罚要适当且出于公心，

要以仁爱施政关注民生。

礼法好似规矩和钩绳，

不是为投机取巧而设。

其目的是让社会有序，

让百姓的生活能够安稳。

治国非常像乐师弹奏，

没有弦便弹不出妙音。

弹琴的化境是神与琴和，

治国的关键是心与民和，

虽弦各有音众弦共其神韵，

虽民各有意众民合其同心。

当然也可以理解为融合，
也就是明白对方亦是自己，
因为彼此命运紧紧联系，
对方的幸福会圆满自己。
这时就会全心全意为民，
放下眼前私利服务百姓。

依道认识事物的规律，
德才能体现道的功绩，
能让社会发展并和谐，
百姓也因此获得大益。

依道行德要顺乎自然，
顺乎民心不事贵而为，
不为权名也不靠暴力，
国家才会稳定而安宁。

要崇道而不束缚人性，
要光明正大不搞阴谋，
当人尽其财物尽其用，
树立道德不害人害事。

大道和而不同各有其性，

如四时如五行如诸物事，

万事万物总是千差万别，

圣人各循自然并不强制。

总是看到仁义的无力，

总受制于苛政和暴力，

当守虚静心无为而治，

才行得久远而不迷惑。

行仁若无礼乐为教，

难行于四海无法遍及；

行义若以财物为基，

竭库府之财难泽及万民。

修道无须被物质所限，

人人皆具自然之性。

顺天地之性而修道行德，

智慧内发仁义自然随之。

圣人天覆地载如日月照临，

无分阴阳四时无贵贱亲疏。

如宇宙不拘于一时一地，

于无我无为中成就事业。

伟大的帝王当富其民，

有力的霸主只富其域，

危险的国家只富其吏，

灭亡的国家仓中无粟。

谁要想了解天下的大势，

必须有千里之行的考察。

谁要想成为有为的君王，

必须积累政教的资源。

与其想化解深仇大怨，

不如从根本上解决问题，

根本的问题便是民生，

要亲民爱民行施仁政。

行为不当会招来仇怨，

语言不当会惹来祸患。

君子不抢先发表意见，
让人言无不尽畅所欲言。

耳语可能会流传千里，
口舌总是惹祸的机关。
出言不当后患无穷，
快马也难以追回流言。

当我们张开大弓之时，
命中率常常十不中一，
这不是良弓出了问题，
而是射手不够训练有素。
弓箭和射手都和谐完美，
猎物才会应弦而倒。

虽然我们说金能克木，
但抡斧一下砍不光森林。
虽然我们说土能克水，
但一抔黄土阻断江河。
虽然我们说水能克火，
但一杯水浇不灭一车燃薪。

只有三十辐各尽其力，
那千乘之车才会行远，
要是有一辐突出轮外，
其他的车辐也成废物。

若是一个人独任其智，
定然一叶障目不见泰山。
玩弄智巧者定然穷困，
好勇斗狠者必然危亡。

虽然冬天也可能打雷，
虽然夏天也可能下雹，
但寒暑有其自然规律，
不会因几次意外而改变。

依自然之理而定规则，
让世人做到令行禁止。
依规则断事就不会过头，
依衡器量度就不会出错。

或施或禁要符合时代，
更要符合当时的国情。
合国情才能决断有益，
不合国情就扰乱社会。

若是没有适宜的规则，
众生的欲望就难以满足。
多敛财就会与民为仇，
少取多予也不能长久。

施予无度会增加怨恨，
仅靠钱财不足以行道。
物质的施予要有限度，
多从真理智慧上入手。

真理智慧有整体思维，
像混元一气的太极之图，
不重点与线的勾画，
而重道与术的合一。

大厦倾斜时容易颠覆，

倚靠别人容易成其附属，

需要他人时自己易被胁迫，

天地湿润时容易下雨。

事物之间存在因果关系，

不要孤立地看待问题。

圣人顺乎自然而执道，

明天地变化而应时顺势。

天下大势自有其规律，

非一人之力而能改变。

居高处造山时没有水患，

人不过劳而自然有利。

处洼地修潭时鱼虾来聚，

因循其习性不召而至。

小沟渠遇雨便会溢满，

一遇旱情则会干涸。

江河之水会时时变动，

汇入大海则永不枯竭。

人在平时着便衣舒服，

若上战场则披甲执锐，

君子要善于因地制宜，

因势利导占据有利位置。

无为明大势而守静自然，

才能秉持天下之正。

当我们拥有了大道思维，

就会高而不危满而不溢。

大道以天道运行做它的纹路，

以地道运行做它的法纪，

以一体共存促成和谐，

以时间空间充当其使者。

大道广大而通畅，

与我们息息相通。

依道修身能德通天地，

依道做事能绵延长久。

国家有道则万民一心，

国家有法则万民同守。
君王的作为要合于大道,
顺乎自然也顺乎民心。

智者不把德行作为筹码,
勇者不恃暴力蛮干任行。
君王不靠好恶改变法制,
国家的失道之害超过无君。

29．来自亘古的清风

将欲取天下而为之，吾见其不得已。天下神器，不可为也，不可执也。为者败之，执者失之。故物或行或随；或嘘或吹；或强或羸；或载或隳。是以圣人去甚，去奢，去泰。

想以强权和暴力勉强得到天下、统治天下，想有为地按照个人意志来治理天下，我认为是不可能做到的。因为天下是一种神圣的存在，它是客观的，被一种说不清的、规律性的东西左右着，不以个人意志为转移，不能被勉强地干预，也不能被执着地控制。假如不顺应天道，想要强行地得到什么，就会失去什么；想要强行地控制什么，就会控制不住什么。世间万物变幻多样，人的天性和喜好也各有不同，有些人喜欢带路、开拓，有些人则喜欢跟随；有些人像凉水需要呵热，有些人像热水需要吹凉；有些人强大，有些人弱小；有些人非常安分，有些人是危险分子。所以，不能一概而论，也不能用一种做法去对待所有人、所有事。圣人不走极端，不过度奢华，不好大喜功。

[导读]

智者要世人效法自然，但人们却常常歪嘴和尚念歪了经。就拿获取想要的东西来说吧，世人看见动物们获取食物，都是靠强力夺取，于是他们也拿拳头和武器说话，争抢自己想要的东西。可他们怎么没看见，强力夺来的又被强力夺走了呢！

世人压根儿不想看，因为要抢夺的东西实在太多啦！最好的最大的莫过于天下。得天下者，会拥有人间的一切！

别跟我说那天下有多么神圣，是多么了不得的神器，凡人不可染指，你难道没看见，它已经被多少人揣手里把玩过了吗？他们能拿，为啥我不行？

这就是那些蠢蠢欲动者的心声。

智者远远地看着那一团疯蚂蚁似的人们，他们眼神疯狂，盯着高处的神器，前仆后继蜂拥上爬，只见踩踏片片，上位寥寥，滚落纷纷……

在强权者心里，天下真是迷人的玩具，他们兴起战事，以各种理由征伐，其目的，只是把天下握在掌心。有些人成功了，但他们建立的王朝仍不能永恒，因为他们不能顺应天道，总是有为地想要控制。一旦控制无法达成，就动用酷刑，去压制民意，渐渐失去民心，进而走向灭亡。

欲望是永恒的魔咒。那执着的有为之心，看似推动了社会的进步，其实是社会稳定的毒瘤。

我看到，那老人笑了，笑声像是来自亘古的清风，吹去了遍天的尘滓之气，也把感悟吹进你的灵魂。

要知道，一切的了悟，最重要的对象，还是自己。我们宣讲真理，不是为了展示给世界，也不是为了让人们看到自己。

人心就是一个小宇宙。

改变自己，才能改变世界。

你不妨观察一下，当你转了心念时，你的世界会发生怎样的变化。……是的，你就像置身于空无一人的大草原，包裹着你的，是灿烂的阳光和青草的芳香。于是，你索性忘掉了自己，沉醉在老人的笑声里，静静地感受那笑声背后的存在，静静地参悟那话语背后的天机……

[诗说]

老人发出了会心一笑，

那笑定然暗含了天机，

好像来自亘古的清风，

吹去了遍天的尘渣之气 ——

有人想得到天下的拥戴，

却不靠仁爱想依靠暴力。

我常常见他们不能如愿，

到头来总是像苍蝇撵屁。

治天下者本是上天神器，

违民意靠强权很难统治。

要是谁想强力而为，

不随顺天意必然失败。

真正的天意便是民心，

民心向背是治乱的关键。

强者易折多归于失败，

勉强得到后也会失去。

礼乐治国者可能久远，
苛刻残暴者必然短命。
温火慢热能煨出好汤，
干柴烈火易烧出焦煳。

圣人从来不强调自我，
因为无所执便无失败。
大公者大私大得者大失，
超越了得失心故无失去。
那超越便是大私者大得，
放弃小利得到自在觉悟。
不随意妄为便无风险，
不想控制便不会被抛弃。

天下人之心形形色色，
或前行或后随不一而足。
有吹者有嘘者各随其性，
有刚者有弱者秉性不一，
或安宁或危险处境不同，
构成了复杂的大千世界。

所以圣人会远离极端，

不奢侈不过度安住中道。

行中道就像走独木桥，

极左或极右都会掉落。

30. 若隐若现的血气

[原文]

以道佐人主者，不以兵强天下，其事好还。师之所处，荆棘生焉。大军之后，必有凶年。善有果而已，不敢以取强。果而勿矜，果而勿伐，果而勿骄，果而不得已，果而勿强。物壮则老，是谓不道，不道早已。

[意译]

只要用真理来辅佐人主，人主就不会用暴力和武力来称霸天下，因为任何行为都会招来相应的反作用力。打过仗的地方，都会变成荆棘丛生的荒野。大战之后，必定会有大灾难降临。如果实在避免不了战争，也要尽量少杀人，不要勉强地以武力来显示自己的威风。达到目的但不会因此而自负，取得成绩但不会自我炫耀，有了成果但不会骄傲自满，在不得已而为之的事情上取得成功并不值得高兴，有好的成果也不能在气势上咄咄逼人。事物发展到最强大的时候，就会开始衰老。所以，任何事都一定要符合大道，如果不符合大道和真理，一切都不会长久。

[导读]

　　我摊开时空的卷轴，找到老子生活的时代，定睛一看，硝烟满卷。智者也有其无法选择的无奈——人都说"宁为太平犬，不做乱世人"，可漫长的时空卷轴上，竟没有几处天清地宁、山明水秀，如无处落脚的荆棘之道。

　　亲历过战乱的老子，正在苦口婆心地劝说着：不要用兵！不要动武！

　　发动战争的人们，你们究竟想要什么？

　　看见别人盘子里的土豆更大，于是，你劈手夺来，对方若是反抗，你挥拳将其击倒。这就是胜利。

　　看见别国的领土更大更丰饶，于是，你挥师而去，对方若是反抗，你杀戮将其踏平。这就是胜利。

　　浑然不顾，那遍地的残骸中也有自己的同伴；更不知晓，那漫天的血腥气正渐渐汇聚，拢成一股反扑的暴力。

[诗说]

老人长叹一声拧了眉头，
语气中好似有无尽的忧虑。
他当然嗅到了一股股血气，
也听到了百姓的阵阵呻吟 ——

我们要用道义辅佐人主，
不可依托暴力横行天下。
瞧那所有暴力的所得，
到头来都会败于更强的暴力。

战争之车碾过的大地，
到处都荒无人烟四面荆棘。
每一次大军征战之后，
更会有凶险大灾尾随其后。

你要想得到好的结果，
就别用暴力强行夺取。
达到目的也不值得骄傲，
一切都仅仅是个过程。

夸耀骄傲者只会失败，
自以为是者更是浅薄。
用强要明白迫不得已，
能达到目的就要停止。
把强力手段视为自然，
罪恶的种子就会生根，
一旦遇到相应的条件，
血色就会将天空映红。

月圆则缺过刚则折，
强大过头会走向衰朽。
当顺天心民意合乎大道，
大道自然无为不靠暴力。

31. 不祥之物

[原文]

夫兵者，不祥之器，物或恶之，故有道者不处。君子居则贵左，用兵则贵右。兵者不祥之器，非君子之器，不得已而用之，恬淡为上。胜而不美，而美之者，是乐杀人。夫乐杀人者，则不可得志于天下矣。吉事尚左，凶事尚右。偏将军居左，上将军居右，言以丧礼处之。杀人之众，以悲哀泣之，战胜，以丧礼处之。

[意译]

兵器和战争都是不祥的，也是不被人随喜的，大家都会极力地避免，有道之人更不会赞同战争。位高者一般坐在左边，主杀者一般坐在右边。君子不主张战争，也不愿意打仗，除非形势所迫不得不打，只要能自主选择，君子就会提倡平和安宁，不会崇尚暴力。即使打了胜仗，也不值得被赞美，只要赞美战争，就是提倡暴力、提倡杀人。喜欢杀人的人，必定得不到天下人的一致认可，即使能暂时得到天下，也会很快灭亡。吉庆的事情以左边为上，凶丧的事情以右方为上。所以，偏将军居于左边，上将军居于右边，这就是说，要以丧礼仪式来处理用兵打仗的事情。就算建立了赫赫战功，也仍然要怀有一颗悲心，觉得哪怕是迫不得已，杀这么多人也是罪恶的，于是悲伤哭泣，就像面对葬礼一样看待杀人换来的胜利。

[导读]

　我听说，世间最好的剑，是以人的血肉之躯炼就而成的。

　干将莫邪，乃绝世名剑，原本是一对恩爱的夫妻。莫邪为成全干将铸剑，跳入熔炉，以身铸剑。

　也许，这不是传说。

　那剑，那些兵器，果然带有嗜血的基因。

　它们一旦出鞘，便再也不愿饿着肚子回去了。饱饮鲜血，才是它们存在的意义。

　你注意到了吗，那些温润如玉的君子，也开始流行佩剑了。是因为他们的腰间，那温润的玉佩，显得他们过于文弱了吗？

男儿的血性，只能通过冰冷锋利的兵器来表达了吗？

你看，老子从不佩剑。他一直在强调兵器的不祥，战争的不祥，一直在劝说人们，从欲望和嗔恨造就的蒙昧中清醒过来，不要再给自己的生活增添悲剧和血腥。你听，千年了，他的声音仍在人类世界的上空回荡……

[诗说]

所有暴力战争都不吉祥，
要知道上天有好生之德。
造物主也定然讨厌战火，
所以有道者定会远离战争。

君子起居以左为贵方，
用兵者则以右方为上。
偏将军常居左面的吉位，
上将军却居右面的凶所。

因为兵事战争并不吉祥，
不是君子崇尚的行为，
只有不得已时方可用兵，

好战者定然不得善终。

世人行兵有王道霸道，
王道重德而霸道重力。
战事也分为五种类型，
有主动有被动意义不一。

除暴安良者谓之义兵，
得道多助者容易成功。
只是多有欺世的枭雄，
青史上留下了假义之人。

敌国来犯而保家卫国，
迫不得已名为应兵。
应兵者心怀大义最受尊敬，
多天下敬仰的民族英雄。

争小利而兴兵谓之忿兵，
是贪财好杀的虎狼之师。
历史上不乏这样的民族，
以杀人为乐以劫掠为生。

抢土地夺财物谓之贪兵，

贪得无厌失天道人伦。

虽然看上去像个人样，

其实已成为两脚畜生。

恃强欺弱者谓之骄兵，

骄兵虽养不可大用，

兵心已失道之清明，

骄兵必败是天道规律。

要是好战却屡屡获胜，

百姓生活必受困疲劳。

君王因胜利而心生骄傲，

恣意妄为大量消耗物资，

穷兵黩武而让百姓生怨，

国家必然短命早早夭亡。

多灾多祸皆因与道不合，

合于大道便可匡扶正义。

如果君王能遵循这规律，

祸乱就必定会化为淳世，

淫败也必定会化为淳朴，

淳厚的德政便得以复兴。

所以君王是天下安宁的关键，

为君者要堪为百姓之表率。

君王若是能顺应天道，

百姓就会衣食无忧。

君王若是有道有德，

下民就会有仁有义。

积细流可以成海成渊，

积石积土可成丘成山，

积善成德能成圣成贤，

有道有德则天地助焉。

君王无德则下必生怨，

君王无仁则纷争生焉，

君王无义则下必暴戾，

君王无礼则纠乱生焉。

若是一人与天下为敌，

积怨积毁如何能久长?

如果远离了大道之本,
总想用巧智才能取胜,
就是舍本逐末利令智昏,
这是非常危险的事情。

不可把毒蛇当成坐骑,
不可把猛虎视为羽翼。
喜欢杀人者能胜于一时,
却很难赢得天下的拥戴。
就算你胜利了也不该得意,
更要用传统礼节对待亡人。
若不能以恬淡仁厚待之,
你便是杀人的嗜血屠夫。

君子也当内修道德,
遵循大道而恪守本分,
失之不喜得之不忧,
成功会顺其自然地发生。

获得财物时自然接纳，

但不是自己索求的结果；

施人财物也自然而然，

而不是刻意为之的施舍。

处理好自己境内的本分，

不长伸大手去干预他人。

万物自会因春风而生长，

万物自会因秋霜而肃杀，

但滋养万物不是为奉恩，

肃杀草木也不是为报怨。

万事万象只有一个命运，

那就是顺应天道而生灭。

教化百姓安居乐业，

众志成城坚固城池，

上下一心守卫社稷，

不讨伐无罪的国家，

把和平当成百姓的福利，

让和平之光永远照耀苍生。

32．各安其道

[原文]

道常无名，朴。虽小，天下莫能臣。侯王若能守，万物将自宾。天地相合，以降甘露，民莫之令而自均。始制有名，名亦既有，夫亦将知止，知止可以不殆。譬道之在天下，犹川谷之于江海。

[意译]

真正的大道是恒常且超越概念的，没有任何伪装和功利。它小而无内，但天下没有一物能让它臣服。如果修道者能将大道智慧作为主人公，也就是让心属于自己，万物就会自然而然地成为宾客。天地间阴阳之气相合，就会降下甘露，不需要人们号令而会自然均匀。从远古时代开始，人类为了区分万物，创造了各种各样的名字和概念，久而久之，它们就成了人类的共识，但修道需要超越概念和名相，所以，修道者心中要有戒，心中有戒，才不会产生危险。道存在于天下，就像一切河川溪水都奔赴于江海一般，为万物所归。

[导读]

你总是在问，道是什么？老人说了很多，但还是不明白。因为，你没有循他的手指，去看那月亮。你只是在概念中，寻找那答案。

你可知道，概念只是标签，并不代表存在本身？这世界，不是一个个名词，宇宙更不是一个个坐标。时空是相对的，前后是相对的，一切我们认为客观的东西，都是相对的。因为，凡人之心就是相对的——或者，我换一个词："分别心"。瞧，这样，你是不是就有点找到感觉了？但你还是被名相困住了，你还是在循着名相理解一些东西。那老人说过，道是远离概念，没有分别心的，因为分别心是人性的产物，没有人性中的贪执，就没有分别心，或者说，没有分别心，就没有人性中的贪执。所以，不要离开破除贪执去寻找大道，如果你不能破除贪心和执念，不能从分别心里解放自己，你就永远都是不识道体的凡夫。

你还记得苏轼的那首诗吗？"横看成岭侧成峰，远近高低各不同。不识庐山真面目，只缘身在此山中。"大道也是这样，载体如何，大道就有怎样的呈现，但这些载体都不是大道本身。你看不透这一点，只是因为你自己也是大道的一个载体。住在一楼的人永远不知道十楼的风景，除非他爬上十楼，亲眼去看一看，那么，你还是好好地走路吧，在寻觅的尽头，你会看到你想要看到的风景。

瞧，那过于有为的人们，总是马不停蹄地想要征服世界。

他们征服了这个，征服了那个，他们能征服道吗？

过强的征服欲，使得他们坐在权位的椅子上，片刻不得安宁，好像坐在了满是针尖的毡上。

他们的制度太多，变化又太快。即便已经有了制度，还是觉得不够用，总有没管到的地方。

他们指挥这个，指挥那个，好像没有了他们的指挥，老百姓连饭都不会吃了，觉都不会睡了呢！

他们整天把自己累得要死，然后，让史官们记下来，说自己勤于政事，宵衣旰食。

幸好，老天爷不像他们这么笨，刮风啦，下雨啦，全是自然而为；这儿的甘霖降多少，那儿的甘霖不能差太多，全靠自然调配。道自有规则，一切都是适可而止，哪里用得着老天爷操心。

既然羡慕老天爷的长命万岁，为啥不学学人家的治理之道呢！

[诗说]

老者的笑声在山谷中回荡，
像亘古的罡风穿过山谷。
那笑声有孤独也有苍凉，
有一种曲高和寡的意味 ——

他说大道虽然很难命名，
却有着无与伦比的力量。
它大而无外小而无内，
它藏污纳垢也和光同尘，
但它清净犹如水晶，
是人间的至纯之物。
我们抓不住它的毛发，
也很难窥破它的真容，
哪怕我们只得到它的秕糠，
也能铸就不朽的基业。

万物无不是它的刍狗，
天下无物能让它臣服。

找到并将它守住，

才算真正成了心的君主。

莫说世事如棋难以预测，

安住道体万物皆成你的使者。

天地相合好坏亦同体，

从此再也没了污不污浊。

五浊恶世本就是幻觉，

大梦初醒一切各归其位。

整个世界都是你的宝藏，

万事万象都是天降甘霖。

你的智慧如春笋般滋长，

无须思索也不用去追逐。

一切自然达成也自然消散，

你只是观察者不去操控。

你知道世界自有它的轨迹，

圣人是智者不是万物之主。

那些名字和概念也不用留住，

尽管把它们像垃圾般清除。

房屋洁净只因无多余之物，

心的安定也因为远离私欲。

隔阂和圈子是人为的陷阱，

就像猎人设下的捕兽铁笼。

修道者要及时察觉不要陷入，

否则会落入执念的魔桶，

年复一年间无法挣脱，

人生就在自欺欺人中空过。

一睁眼已到了生命的黄昏，

再想回头却发现为时已晚。

所以要时时提醒自己，

不要被偏见习气所缠缚。

面对概念要勇敢地打碎，

这才是修道者的无畏无惧。

同样要知道何时该喊停，

刹车有时比油门更重要。

你看那古代的诸多帝王，

多少都死于不能够知止。

沿河道而行可归于大海，

肆意泛滥会爆发洪涝。

是故修道者要小心谨慎，
进退合度还要不偏不倚。
裹足不前是懦夫之行，
过犹不及则成了莽夫。
修道的关键是知道尺度，
方向和方法也要清楚。
万事俱备便只欠那东风，
所谓的东风是踏实精进。

破釜沉舟不要在乎结果，
义无反顾只管注重行履。
有一天你心里没了阴影，
一切都明明朗朗清清楚楚，
光明就已降临至你的生命，
它的别名便是觉悟。

是的，就是这样，
你无须执着自己的偏见，
那偏见是你眼中的金屑，
它有着亮晃晃的形貌，
但对于你的眼睛，

却能硌出一声声的凄厉。

瞧，那偏见的金屑，

也定然高不过你的心。

无论你咋个挣扎，

你仍是大道网中的一条小鱼。

虽然你有自己的习性，

有自己的规则，

有自己的概念，

有自己的好恶，

你也时时为概念所困，

认为那概念就是世界。

要知道概念外还有个世界，

那个世界无名也无利，

有的是一种淡淡的向往，

还有无边无际的虚无。

只是那虚无中有一线余晖，

虽只是一抹浅浅的霞，

若存若亡，

若有若无，

却是一张坚韧的大网，

在无与伦比中罩了万物。

瞧呀，

它那张大网正笼罩着我们，

它有着比天还大的眼睛，

你无论咋遁，

也难隐藏你的形迹。

你无须执着，

也无须逃避，

你只消自然了你，

你只管当一个听话的孩子，

你只管品味，

你无须判断，

任那大道之水漫过你的肌肤，

任那山呼般的静默浸泡了你，

你只管融了你自己，

效法那泼入大海的茶水，

你便能让那神秘中的神秘，

成为你自己……

33．他的白须飘在风中

知人者智，自知者明。胜人者有力，自胜者强。知足者富，强行者有志。不失其所者久，死而不亡者寿。

[意译]

了解别人需要智慧，了解自己同样需要智慧。以力胜人者很强悍，能战胜自己才是真正的强者。知足的人最富有，能勉强自己做该做之事的人肯定有志向。不失掉自己的位置才能长久，能够创造超越死亡价值的人最长寿。

[导读]

人人都想要聪明，那聪明能看透世间一切迷雾，配上锐利的眼神、多窍的玲珑心，只一眼，就能让所有人无所遁形。

人人都想要强大，那强大可以胜过世间一切力量，不管是权势、地位，还是财力、人力，都足以呼风唤雨，令众人臣服。

可智者说，那不是真正的聪明，也并非真正的强大。

你见过一群小娃儿在一起抟泥巴玩吗？弄得满手满脸都是泥，可总有孩子会指着别的孩子的脸，笑话他脸脏。他不知道，自己脸上的泥巴，一点也不比对方脸上的少。

你见过最勇猛、最孔武有力的壮汉吗？他一个人就能举起好几百斤重量的东西，但他永远无法揪着自己的头发，把不到两百斤的自己提起来。

有的人家里堆得满仓满谷、满箱满柜，依然觉得自己还缺好多东西；有的人家徒四壁，却一点不担心，至少他劳动一天，就有一天的饭食。

什么才能令人心安哟？那聪明、强大、富足，早晚会被死神没收。

那时候，我们还能剩个啥？

[诗说]

　　可叹呀！老人摇摇头，

　　那缕缕白须飘在风中，

　　风中传来亘古的歌，

　　一声声一曲曲入耳入心——

　　风铃总是以声音为能，

　　最终会毁于卖弄声音。

　　蜡烛总是以发光为乐，

　　最终在发光中消亡自身。

　　虎豹的美纹会招来弓箭，

　　猿猴的敏捷会引发格斗。

　　很多人注重勇武和智能，

　　却不注重内修道德。

　　月亮在夜里虽也皎洁，

　　但不能代替太阳之光。

　　星星虽也璀璨闪烁，

　　但太阳一出就隐没不见。

　　树叶不可能强过根本，

树枝不可能大过主干。
道与德是根本和主干，
法与术只是细枝末节。
水深阔才可养出大鱼，
山雄奇才有高大树木，
心像大地一样辽阔壮美，
才能承载厚重的道德。

道以无为为体难见难闻，
需要内视返闻观照自己，
不自鸣得意耍小聪明，
就不会成为愚钝的傻瓜。
心要像静水那样朗照万物，
杯水虽小可映出眸子。
不要像黄河那样浑浊激荡，
泰山现前也看不到影子。

薰衣草盛开在山谷里，
吐芳香不因为别人有用。
大船在水面上逍遥而漂，
行千里也不为招揽乘客，

但过河之人总会自己找来，
因为若不用它便难涉江河。
君子行道利他毫无算计，
只是天性使然没有图谋。
但总能给世人带来利益，
因此赢得了世人的拥护。

当俗人处于势利场中，
久久熏染免不了会变异；
当坏人受到君子的影响，
也会多一种向上的引力。
君子明白变化的规律，
能在动态中求得和谐。
他像车轴在毂中不动，
却能让车子运行千里。

真正的强者不崇尚暴力，
真正的智者不向往强权。
了解他人者只是聪明，
了解自己者才是英明。

能以力胜人者虽然强大，
能战胜自己才真的厉害。
能够知足者才算富贵，
勇猛精进者定然有大志。

君王好似国家的心脏，
心若安好则百节皆安，
心若多扰则国家必乱，
因此圣君要学会守心。

圣人为自己的初心而活，
众生被自己的欲望所困。
君子的正气出自天性，
不为万物所累循理而动；
小人重欲望邪气四溢，
不顾后患情发于喜怒。

所以不要忘掉自己的初心，
不要丢掉自己的本分，
真正的寿者肉体虽然消失，
精神却可永远留存。

34.真正的主人

[原文]

大道泛兮，其可左右。万物恃之以生而不辞，功成而不有。衣养万物而不为主，常无欲，可名于小；万物归焉而不为主，可名为大。以其终不自为大，故能成其大。

[意译]

大道是无边无际泛滥四方的，既可左又可右，还可以向十面八方延伸。万物都必须依靠道的规律和能量来生长，但道从不推辞也不表功，成就万事万物后也不会据为己有。道像天地一样滋养覆盖着万物，极细微的存在中也有它，但它从来不把自己当成万物的主人，从来都是无求的；万物都归附于道，道是大而无外，无所不包的，但它仍然不做万物的主人。因为它从不认为自己大，反而成就了它的大。

[导读]

你发现没有，天底下最宝贵的东西，都是不要钱的，因为它们没有主人，不是谁谁的私有物品。

阳光、空气、雨露、清风、明月、白云，哪个是我们能少得了的？可它们的主人又是谁呢？

要是阳光有了主人，你就得按日照时长或者日照面积缴费啦！要是空气有了主人，你每吸一口气，就得掂量掂量自己的荷包，够不够自己畅快地深呼吸啦！要是雨露有了主人，别说绿化和植被了，种菜也省了吧！

呼——幸好，它们都是无主的。

于是，东坡先生才能优哉游哉地说，天地之间，物各有主，只有江上之清风，与山间之明月，取之无禁，用之不竭，是造物者的无尽宝藏，是你我能共享的。江山风月，本无常主，闲者便是主人。是啊，能闲心享用它们的就是主人。这主人，便可以是你，是我，是他，是任何人。

是谁，赐予了我们做主人的权利呢？

就是那个不愿做主人的真主人呀！

[诗说]

老人的长袖一挥，

风中的曲子又变了。

万物在俯仰自得中，

游心于冥冥太玄 ——

那大道像大海汪洋，

无时不在无处不至，

我没有见它离开过，

万物因之而得以生长。

它成功了事业，

它造就了苍生，

沧海因它而笑，

沉浮中，远去了几多英雄。

功成的，都被描在史书里；

立功者，都已封王封侯。

他们都是有为者，

在青史中或笑或哭，

但那一个个故事里，

我看不到大道。

我翻阅了无量的史书，

没有一节在书写大道。

大道像辛劳的母亲，

总在默默地付出，

养育了子女而不居功，

万物依附而不为主。

那真正的大没有名相，

那真正的主也没有牌位，

但那无名无位者，

却是真正的主人。

35．大羹有淡味

执大象，天下往。往而不害，安平太。乐与饵，过客止。道之出口，淡乎其无味。视之不足见，听之不足闻，用之不足既。

当一个人能守住大道、守住真理时，天下人就会帮助他。因为很多人都会归附大道，而且不会互相侵害，大道也不会侵害归附它的人，这时，就会一派平安吉祥。好听的音乐和好吃的食物，往往会对人造成不可抗拒的诱惑。而道呈现于世间的样态则没什么吸引力，不像美色、美声、美味，或金钱、权力、爱情那么诱人。你看不见道，也听不见道，但你看到的景象中有它，你听到的声音中也有它，它的作用永不枯竭，无穷无尽。

[导读]

古人老说，人往高处走水往低处流，那人人要去往的"高处"究竟是哪儿呢？它是怎么个高法？

那高，是权力的巅峰，还是利益的顶端？抑或是真理的高处？

我真怕，人们会找错了地方。

爬得太高容易摔得很惨。权力巅峰和利益顶端，根本不是人能久待的地方。而那真理，那大道，到处都有，何必爬那么高。

通往大道的路，平淡无奇，既没有诱人的色香味，也没有惊人的形貌和声响，它只是那一派祥和之气，使人息了心，歇了脚。

有了归宿的人，再不会惶惶然四处寻觅。

很多人历尽千帆，最终归于寻常。因为，在大起大落间，他们品尝了人生百味，看透了世界真相。世上的名利，不过就是一件衣裳，需要了就穿上它，不需要了，就脱掉它，做一个寻常百姓，过一种寻常生活，在寻常生活中，活出一份坦然。

人的一生中，无论得到什么，都有可能会失去，只有道不会失去。得了道之后，就改变了命运。不过，大道不会因此而支配他人。所以，大道是伟大的，也似乎是不起眼的，更不会

被大多数人发现，但大道仍会生养万物，成就万物，陪伴万物，
不因因缘而生灭，不因移转而消散。

[诗说]

瞧呀，你睁大了双眼，

你能看得到它的形貌吗？

当你得到了它，

天下人都会投奔你。

你所到之处，一片祥和。

那道道紫气，诉说着你的人格。

那是一曲和平安泰的旋律，

旋律中有大美，

你不知如何形容这美，

便学孔子说：

听了它简直三月不知肉味。

千年里，有多少匆匆过客呀，

他们都驻足在你的大美里。

你于是知道那礼乐文明，

真是千年里最美的政治。

但我还是向往那大道，

那大道如大羹，

淡味里，有无穷的玄机 ——

它不贪多得，

它不多累积，

它静耳不听，

它闭口无语，

它远离巧智，

它息心不虑，

它休养精神，

它回归朴素。

它知养生之和，

它通内外之路。

我们看不到它的形色，

我们听不到它的声音，

我们看不到它的边际，

我们只知道，那入口，曲径通幽，

那出口，有大美的春光。

36．这其实不是谋略

[原文]

将欲歙之，必固张之；将欲弱之，必固强之；将欲废之，必固兴之；将欲取之，必固与之。是谓微明，柔弱胜刚强。鱼不可脱于渊，国之利器不可以示人。

[意译]

如果你想让一个东西收敛，就要先让它张开；如果你想将某种东西削弱，就要先壮大它；如果你想废掉某个东西，就要先抬举它；如果你想得到什么，就要先送出什么。这些道理看起来很小，但你如果对这些小小的道理举一反三，就能得到很多启迪。柔弱也是这样，它看起来没什么力量，但事实上，守柔的人比很多看起来强悍的人更加强大。鱼不能离开自己生活的水塘，人也不能离开自己该处的位置，该藏的时候就要藏一下，该躲的时候就要躲一躲，该示弱的时候就不要刚强地去争。最大的优势，是不能拿出来炫耀的，包括智慧和谋略。

[导读]

我常想，柔弱究竟是靠什么胜过刚强的呢？

对抗是刚强的模式，而柔弱，用的却是顺势而为。就像某个小故事里的太阳和风，它们想让一个人脱下皮袄。于是，风先生猛烈地吹呀吹，不仅没吹落那人的皮袄，反倒冻得他裹得更紧实了。太阳先生笑眯眯地，不紧不慢地放出了暖热的光，直晒得那人浑身冒汗，立即脱下皮袄。

也许，真正的强者，才懂得用柔。就连神，也是欲使其灭亡，必先使其疯狂呢。

面对一个自我膨胀的人，如何劝说都不会有效果，那么就让他更膨胀一些吧，直到他自己因膨胀过度而爆破，终于学会收敛。

顺势的方法，千百次使用，效力不减。

强硬的方法，就像是蜜蜂尾巴上的螫针，用过一次，就报废了。

所以，杀手锏之类的利器，不用不显示的时候，威力最大。

当然，这只是一种世间谋略。真正的藏，是消去有为之心，自然而然，应对万象。就像那太阳，知道怎样让行人脱掉棉袄，但它不会沾沾自喜，自我吹嘘，也不会大张旗鼓，广而告之，它只会不动声色，播洒热量。

藏是轻易不用，因为不想炫耀，就像我常说的，钟不敲不响。

[诗说]

　　　　这一段讲述让人脊背冒汗，

　　　　因为它的逻辑太过精明。

　　　　欲擒故纵欲拒还迎，

　　　　简单的句子透着深深的心机。

　　　　但是我能读懂你的眼神，

　　　　那不是狡黠而是悲悯，

　　　　隐约还有一点点泪光，

　　　　你是否知道世人读不懂你？

　　　　没关系，

　　　　还有一个雪漠呢。

　　　　雪漠手里的笔，

　　　　就是你的翻译，

你大可说出那心中的了悟，
不用怕现代人不能适应。
你的话语虽然简单，
背后的智慧却贯通古今。
若是能参透你话里的精要，
就能在生活中大受裨益。

但是你确实需要一个翻译，
因为别人不一定读得懂你。
境界不够就会误解你的本意，
将顺势的智慧理解为算计。

你当然不是在教人算计，
你是想告诉人们不要用强力。
强力背后是弱者的焦虑，
还有那熊熊燃烧的欲望之火。
满足欲望时固然很快乐，
但焦虑和不安同样磨人。
得到或得不到都不能心安，
结果的无常更让人煎熬。
不如破釜沉舟将自己放下，

一心为公不追求私欲，

不如顺其自然与人方便，

收获就必然会水到渠成。

水到渠成也不要得意忘形，

所有的收获都必然会过去。

究竟看得与失不过是游戏，

你又何必执着和在意。

荣誉的本质同样如此，

也是鱼嘴里吐出的泡泡，

你以为的风光和尊严，

只是它破碎时发出的脆响。

所以，

放下目的放下功利，

放下欲望放下焦虑，

放下期待放下苦等，

放下算计放下贪心。

当你能够坦然地放下，

就会像沐浴于春日暖阳，

你会发现，

有一处风景比得到更美，

你只要沉下心来，

忘掉思虑，

就能看得到它。

在那里，

一切不给自足，

你就是最富有的国王。

37．别管那名字

［原文］

道常无为而无不为。侯王若能守之，万物将自化。化而欲作，吾将镇之以无名之朴。无名之朴，亦将不欲。不欲以静，天下将自正。

［意译］

大道是无为的，不勉强，不强行作为，自然而然，不执着，顺其自然。同时，它又是无处不为、无所不为的。承担了管理责任的人如果能守住道的智慧，顺势而为，一切都会自然而然地成功，不需要攀缘。万物一旦变化、运作，人一旦参与社会实践，欲望就会出现，我将用道心来镇住它。有了道心之后，欲望就慢慢消失了，心就会非常宁静，完全融入自然，那么，天下自然就会安定。

[导读]

你玩过海上漂流瓶吗？人们把自己想说的话，想问的问题，写在纸上，装进漂流瓶，放到大海上任其漂流。看谁能拾到它，给他们一个答案。

宇宙也是大海，一个真正无垠的能量海。那宇宙海上，也有很多漂流瓶，当然你看不到那瓶子，它只是一种信息能量。

有一天，从时空中，我拾到了一个漂流瓶，来自一位统治者，他的问题是：顺其自然会不会变成放任自流？

我知道，这是一个向往大道而又有所顾忌的管理者。当然，他的顾虑无可厚非。道固然不干涉万物的自生自化，道也有其不可触犯的规则，那规则乃是尺度。超越了尺度，即为贪欲。

你想问尺度在哪里，那就是真朴。

于是，我也回了一个漂流瓶给他：大道如三角形的顶点，那么它必有两个支撑点，一个是顺其自然，一个是保持本真。

我们总有太多的问题，似乎不追着一个现象去思索，去应对，就会陷入无法掌控的旋涡。真是这样吗？那位老人说不是。他说，孩子啊，你只要无为，静静地做自己的事，静到极致时，你就会看到一个叫道的东西。准确地说，你不是看到，而是感知到，体验到，认识到。你会突然发现，万物的运作有一种特定的轨迹，就像钟表的链条，这个齿轮的运转，一定跟另一个齿轮有关。

世界就是这样，人生也是这样。有智慧的人，会给齿轮上好润滑剂，让它们的运转能自然而然，若是它们一边运转一边发出刺耳的杂音，就说明它们的连接出了问题——也许是它们长了铁锈，锈住了一种能够随机而动的东西。什么是铁锈呢？执着和分别心。因为执着，所以抗拒变化；因为分别心，所以有好恶之分。其实，世界上的一切好恶，都会被时光吞没，一切好恶都像义无反顾的江河之水，都会奔腾入海，与大海融为一体。

所以，老子只管自己的心，只管随缘地做好眼前的事。遇到孔子问道，就回答孔子的疑问，若是两人无语，就静静地坐一坐；遇到尹喜问道，就讲出五千言的《老子》，将毕生智慧的精髓诉诸文字；遇到周朝的礼乐制度彻底崩溃，诸侯对道的向往彻底被欲望权力所吞没，他就骑上那头忠诚的青牛，离开他熟悉的图书馆，走向一种巨大的未知。这就是老子的无为。他是如此顺其自然，对任何事都毫不着力，却影响了世界两千多年。

　　你听，如今，他仍在那个时光管道中说着话，他的话总能
传到向往道的人心里，比如我……也许，还有你？

　　[诗说]

　　　　　　我于是这样回答：
　　　　　　你别问我的名字，
　　　　　　我常常无心于万事，
　　　　　　但万事自然成。
　　　　　　我常常精进有为，
　　　　　　但心中了不可得。
　　　　　　我是我自己的王侯，
　　　　　　我的智慧自然化育，
　　　　　　自然成长，
　　　　　　像那春雨后的野竹林。
　　　　　　当我的心中产生贪欲时，
　　　　　　我会在上面压一块石头，
　　　　　　那石头没有雕纹，
　　　　　　没有名字，
　　　　　　它只是一颗朗然的真心，

就像那婴儿的笑。

看到它，我的世界一片清明，

那一片清亮的大美，

就是我的江山。

38. 朗然而笑的婴儿

上德不德，是以有德；下德不失德，是以无德。上德无为而无以为；下德为之而有以为。上仁为之而无以为；上义为之而有以为。上礼为之而莫之应，则攘臂而扔之。故失道而后德，失德而后仁，失仁而后义，失义而后礼。夫礼者，忠信之薄，而乱之首。前识者，道之华，而愚之始。是以大丈夫处其厚，不居其薄；处其实，不居其华。故去彼取此。

[意译]

最上等的德行，是看不出有什么德行，自然而然，这就叫有德；最下乘的德行是看起来品行高尚，但别人跟他相处总是不舒服，这就叫无德。上德之人既不讨巧也不邀功，但万物都能因他而受益；下德之人虽然也在做事，但因为有目的，所以就大打折扣。上仁者即使在关爱别人，也不觉得自己在关爱别人，只是自然而然地去做。上义之人执着义的标准，要求自己遵循这个规则。上礼之人以礼待人，对方却不回礼，则伸手指责对方，鄙弃对方。所以，如果不能合道，就在德行上下功夫；如果德行不够，就对别人好一点；如果连对别人好也做不到，就用义来规范和约束自己；如果提倡义也没有用，就只能提倡礼节了。强调送礼，并且强调礼尚往来，就有了功利性的追求，这时忠和信就会越来越弱，社会也会因为攀比而变乱。聪明人总会远离大道，做一些表面文章，他们的功利心就是愚痴的开始。所以大丈夫要敦厚质朴，不要刻薄算计；要注重内在的功德和修养，不要注重技巧。简言之，就是舍去表面的浮华，修炼内在功夫。

[导读]

　　一些智者说，人类堕落了，堕落到要靠提倡仁义才能维持文明的秩序了。

　　他们说，最初的时候，人们都与道合一，不知道还有什么德啊仁啊义啊的，礼就更提不上了。

　　与道分离后，堕落可不就是必然的吗！唉……

厚道稳重如老子，也不得不说了大实话：道、德、仁、义、礼，越发等而下之了。到了强调礼的时候，人心也乱得差不多了，不忠也不信。

庄周可就"坏"多了，他扯着嗓门大声叫嚷：圣人不死，大盗不止！那圣人整天提倡仁义，结果全被大盗学了去，越发如虎添翼，祸害加剧。

表面功夫做多了，内里就不实在了，那表现出来的仁啊义啊礼啊，都是花架子。真正得道的人，所作所为，全是无心而为，没有一处不合乎道，不缺仁也不缺义，还让人看不出来。

做一个敦厚朴实不浮华的大丈夫，不好吗？

[诗说]

> 我知道你是谁了
> 我朗声笑道——
>
> 你没有大德的形容，
> 却从没有远离过德；
> 你分明无心作为，
> 却不曾懒惰懈怠。

你使百姓安康而不缺财物，
让万民欣然施以仁心。
你礼君臣正上下举荐贤能，
你明亲疏知远近暗合于义。
你闭六门弱意志返归淳朴，
你和万物心无事德合于道。

你心中无仁而不离仁，
你心中无义而不离义，
你心中无礼却不轻慢万物，
你无心却暗合天机。

我总是见那些流行的大德，
内心已不见质朴的德行。
真正的厚德远离造作，
像山风中摇曳的秃树。
只是这世上充满标签，
却难见一个无心的真人。

真人的体悟虚无平易，
清静柔弱纯粹朴素，

不染物欲而独立，
能融于众人而纯真。
道显则惊天动地经世致用，
道隐则没于人群泯然于众人。

他小看天下权位而修身，
不以欲望而扰乱真情。
他安作息调饮食和喜怒，
不让外界的诱惑扰神。

他去文饰而安于素朴，
他去枝叶而安其根本，
他内心平和守真守神，
他养心养神自然和平。

他呼吸阴阳之气吐故纳新，
或刚或柔他舒卷自如。
或俯或仰他心与道同。
他与道同体与天同心，
远离苦乐喜怒与万物同旅，
无绝对是非浑然天成。

不让财富去冲垮和谐，

他胸怀天下而包容天心。

他远寒暑燥温而神足，

他依神相扶而得始终。

他寝而无梦如婴儿熟睡，

他觉而无忧如婴儿就乳。

若是世人都无欲无求，

浑朴之德便会流行。

这时候便用不着教化，

一若那百鸟和谐于山林。

当人们远离大道时，

总是拿德来说事；

当世上缺德成风时，

才会提倡仁爱；

当仁化成了夕阳下的红霞，

又会抛出义的绳索；

这绳索也终究断了，

那就礼吧。

礼是涂在脸上的胭脂，

总能掩盖长了绿毛的忠信。

瞧呀，那愚昧和祸乱化为野兽，

正沿了那细雨中的峡谷，

遥遥而至呢。

瞧我，已将这旧家具抛入山谷，

我山石般立身敦厚，

更拿了一把锋利的藏刀，

我割呀，我削呀，

去了那浮华，

刻出一个朗然而笑的婴儿。

39．无上的珍宝

昔之得一者：天得一以清，地得一以宁，神得一以灵，谷得一以盈，万物得一以生，侯王得一以为天下贞。其致之也，谓天无以清，将恐裂；地无以宁，将恐废；神无以灵，将恐歇；谷无以盈，将恐竭；万物无以生，将恐灭；侯王无以正，将恐蹶。故贵以贱为本，高以下为基。是以侯王自称孤、寡、不谷。此非以贱为本邪？非乎？故至誉无誉。是故不欲琭琭如玉，珞珞如石。

过去那些合道的人，符合真理、符合道的规律时，天空会清明，大地会安宁，神会灵验，山谷会变得充实，万物会生生不息，统治者会得到万民的拥戴和信服。如果不合道，天就不再清明，甚至有破裂的危险；地就不再安宁，有可能会出现灾难；神就不再灵验，有可能会失去百姓的祭祀；山谷不再充盈，河流草木都可能枯竭；万物不再生生不息，恐怕会灭绝；统治者不再有威德，甚至会垮台。尊重以谦逊为根本，高贵以低调为基础，所以天子自称"孤""寡""不谷"。这难道不是把低贱作为自己的根本吗？不是吗？最高的荣誉是别人不评价你。所以，我不愿像美丽的玉石那样引人注目，宁愿像石头那样躲在角落里，不惹人注意。

[导读]

人们总嘲笑那个楚国人，因为他原本是去买珍珠的，结果看上了外表更华丽的装珍珠的匣子，就不要珍珠了。珍珠固然珍贵美丽，可那匣子在能工巧匠的手下，被装饰得令人眼花缭乱，相形之下，珍珠也太质朴了，一点也不夺人眼球。

那大道就是珍珠呀。也是我们一开始的目标。更是我们最初的本原。

抱着华丽的空匣子的楚国人，以为自己得到了真正的宝。追求高位、追逐大名的人们，也正抱着个空匣子，自以为占了大便宜呢！

没有了道，一切都无法长久，天崩地坏，江河塞流，人间失序，万物灭绝。当无情的岁月将华丽的空匣子化为齑粉，将浮华的权位声名化为轻烟，人们才惊觉，自己失了根本。

道即便不是美丽的珍珠，而仅仅是一块粗粝坚硬的石头，我也会将它视作珍宝。

这世上，我们很多人都像那个楚国人。一开始，我们都想追求珍珠（珍贵朴素的大道），都想回到生命的本原，都想实现灵魂的升华，但日复一日，年复一年，我们就被华丽的空匣子（名利、金钱、地位等）所吸引，而忘了大道。但是，便是追到那空匣子，又能怎么样呢？我们很快会厌倦，再追逐新的空匣子，然后再一次厌倦，开始新的追逐。除非有一天，我们幡然醒悟，想起自己最初的追求，但到了那时，生命还剩下多少呢？无情的岁月会摧毁一切，包括我们的健康和生命。我们的才华、能力、知识等，也很快被上天收回。所以，与其用它们来交换那空匣子，不如去追求空匣子里面的东西——道。

道是永恒的，不会被无情的岁月、变幻的世事所夺走。

[诗说]

我给那婴儿起名为道，

它是这世间无上的珍奇。

有了它，

天才能清明，

地才能安宁，

神才有灵性，

河谷才能充盈，

万物才能生长，

侯王才有权柄。

天没有它会裂，

地没有它会废，

神没有它会死，

河谷无它会枯竭，

万物无它会消亡，

王侯无它会毁灭。

它是一切的根本。

正如贱是贵的根本，

下是高的基础，

所以不要追求结果，

要回归那本原。

正如不要追求赞誉，

要追求内在的德行。

与其像宝玉般晶莹，

不如像山石般质朴。

40．平凡的神奇

反者道之动，弱者道之用。天下万物生于有，有生于无。

[意译]

物质变化到一定程度，就一定会往相反的方向发展，这是大道的规律。大道从不张扬，总是默默无闻、不为人觉察地运行着。道成就了无数种可能性，它们都因为得到道的能量，转化为短暂的存在，但无论怎样的存在，其本性都是"无"，也就是变化、性空。

[导读]

虽然她在做循环的圆周运动，可每一次的出发，都回到了起点 —— 新一轮的起点。你见过鹦鹉螺吗？那美丽的螺旋曲线，揭示了奥妙的道之路线。她无始无终，循环不止，你探究不到她的来处，也追踪不到她的去处。

曼妙的螺旋曲线，展示的是她柔弱的力量。丰沛的生命，随着曲线的延展，而遍布寰宇。她是万物的母亲。

她的足迹，也留在了万物之中，只要你留心观察，随处可见。大至螺旋星系，小至一朵绽放笑脸的向日葵，当然还有那小海螺，它们都在时时刻刻地告诉你：我们都是她的孩子。

你能看见的，所有，都来自你看不见的她。

[诗说]

我看到空旷的山谷里一片寂静，
忽然出现了几只蝴蝶，
那诸多的蝴蝶飞呀飞呀，
飞出了世上最美的舞姿。

我看到清净的天空一片蔚蓝，

忽然生起了风云雷电，
那诸多神妙齐齐涌来，
让我不由得暗暗称奇。

我看到了诸多的现象，
它们纷纷纭纭没有止期，
像大海中起起灭灭的水泡，
忽而生忽而灭好生奇妙。

我看到一个巨大的舞台，
上演着永不结束的剧目。
一批批演员刚到台上，
那卸妆的演员正在死去。

我看到更多的聚聚合合，
乱哄哄好似夏日的群蜂，
它们才刚刚聚成浓雾，
顷刻间却已化为无际。

大道的本质是循环往复，
大道的妙用是微妙柔弱。

天下万物虽是有形物质，
但无生于有有生于无。

看小天下权柄则神无累，
不重天下财富则心不惑，
参透生死则超越死亡，
安然顺变则不会失措。

守无者倚靠擎天之柱，
行走于无关隘之坦途，
一空生万有源源不断，
利害也不会祸患其心。

那无看上去无形无迹，
其实是一个巨大的妙有，
它充满活性物质生生不息，
世上却少有人知晓这秘密。

那无就像那无云晴空，
看上去好像明净无尘，
却时时孕育风云雷电，

能化现出无穷的神奇。

最大的神奇其实并不稀奇，
它甚至没有刻意隐藏自己。
它无时无刻不在展示着秘密，
可惜世人少了发现的眼睛。

41．你是哪一种人？

上士闻道，勤而行之；中士闻道，若存若亡；下士闻道，大笑之。不笑不足以为道。故建言有之：明道若昧，进道若退，夷道若纇。上德若谷，大白若辱，广德若不足，建德若偷，质真若渝。大方无隅，大器晚成，大音希声，大象无形，道隐无名。夫唯道，善贷且成。

[意译]

上等根器的人闻知真理时，会精进勤奋地用生命去实践；中等根器的人闻知真理时，却不能做到精进勤奋，而是时而坚持，时而忘掉；下等根器的人闻知真理时，会觉得无比荒唐，于是哈哈大笑。如果一种道理连下等根器的人都能明白，就说明它不是究竟的真理。所以，格言有云：光明的大道看起来黑暗昏昧，得道者看起来也像是愚夫；精进修道的人看起来就像在倒退；越顺利的修道之路看起来越坎坷。德行最好的人心永远是空旷的，就像空荡荡的河谷、峡谷一样，能容纳整个世界；品格最高洁、最伟大的人，看起来往往跟大家差不多；最伟大、胸怀最博大的人，看起来总像有缺陷。修德上越是勇猛精进，看起来就越像在偷懒；质朴到极致时，就会看破真相，人就会显得有些糊涂。做人做到极致时，就不会把自己的观点强加给别人，这时就没了棱角；能做大事的人需要慢慢成长；最大的声音听起来就像没声音；真正大格局的人不讲形式，不会摆出某个姿态；大道隐藏在万物之中，没有任何固有的概念。道一直在为人类做着各种贡献，成全着人类的各种需要和创造，但它不提任何条件，也没有任何索求。

[导读]

颠倒的世界里，有颠倒的规则。追求名利和地位，倒是可以大肆宣扬，不喊个口号显得很没志向；追寻大道，反而要偷偷摸摸，像是要去做贼一般。怪哉怪哉！

只因为名利比大道更有市场，有更多拥趸啊！不信，你随便找几个人，跟他们聊聊，看看他们愿意跟你聊升官发财，还是愿意聊修道。要是聊修道，恐怕你要被嘲笑得很惨哪！

所以说，老兄，低调点，我知道你懂得道的难得，千万不能大张旗鼓说你在修道。心里越亮堂，越要显得稀里糊涂；身家越清白，人品越高洁，越要少冒头，免得衬得别人污迹斑斑；内在越圆满越自得其乐，越要给自己找点小缺陷，显得自己还算是个正常人。不管你有啥观点有啥高见和原则，一概呵呵呵，一概哈哈哈。

道不就是这样的吗？大也看不出，响也听不到，还隐藏不显名，咱就学学道，准没错。

呵呵。

[诗说]

　　　　　　我知道你是上根之人，

　　　　　　上根之人以心悟道，

　　　　　　虚心清净无思无虑，

　　　　　　耳不乱听目不妄视，

　　　　　　圣意充盈专精积蓄。

　　　　　　你很快就明白了大道之理，

　　　　　　于是你一日日勇猛精进。

你知道只要一步步向它走近，
就能融入生命中永恒的光明。
于是你不断前行义无反顾，
前方的荆棘挡不住你的脚步。
你像扫除灰尘一样消去执着，
还有那偏见也如冰雪般消融。
有一天你的心无比干净，
再无分别心造成的半点染污，
此时你不但已接近了光明，
也已消解自己与它融为一体。

中根之人以妄心闻道，
对真理之学将信将疑。
他忽而精进忽而懒惰，
信心就像水中的气泡，
虽也时时生起络绎不绝，
却分秒破碎无法定格。
这样的人有千千万万，
构成了无尽的芸芸众生。
他们其实只是一群群看客，
把真理当成了心外的故事，

虽然会时常被剧情感动，

但也只像秋风吹过那驴耳。

他们只是真理的票友，

甚至会用真理来遮羞，

只想随其需要信信疑疑，

就像商人般精明算计。

那下根之人是逆行菩萨，

对智慧的声音没半点兴趣。

他们一听说你的信仰，

便会大笑说荒唐荒唐，

仿佛大白天见到了鬼魅，

到处传播那风言风语。

他们不信天下有向道之人，

也不信世上有永恒的真理。

他们只有小人之心，

所以不信那君子之腹。

他们只有酒杯之量，

看不到世上还有大海。

就像只活在夏天的虫子，

不知道一年还有四季。

他们没见过冬日的坚冰，

他们没见过秋日的霜迹。

他们便是我说的下士，

他们的本质仅仅是动物。

动物只有生存的需求，

并不向往真理的光明。

有时候现象跟实质迥异，

那真理看起来就像是谬误 ——

光明至极时很像昏昧，

前进有时候倒像在后退，

平路有时候更像是崎岖，

至高的道德会示现出洼意，

最洁白的东西反像被染污，

最伟大的德行倒像有缺失，

最高的精进倒像在偷懒，

最好的淳朴像是混沌未开，

最方正的品行却像没有棱角，

最大的声音反倒很难被听到，

最大的形象反而难以被认知，

最好的相遇反而被世人排斥。

就像我们所说的道，

它总是幽隐着很难被命名，

但它是世上最伟大的存在，

总能辅助万物善始善终。

42．平衡的游戏

道生一，一生二，二生三，三生万物。万物负阴而抱阳，冲气以为和。人之所恶，唯孤、寡、不谷，而王公以为称。故物或损之而益，或益之而损。人之所教，我亦教之。强梁者不得其死，吾将以为教父。

[意译]

大道的本体是无相无形的，也是一味的、混沌的。但因为人有意识，所以就会在这种一味的境界中，划分出诸多的二元对立。而人的意识、人的意识所能感知的外境、生起意识的感官——或者代表宇宙本体的天、代表承载万物的空间的地、代表有感知能力的灵性个体的人——这三者又构成了人所感知的世界。任何存在都有阴阳两面，正面为阳，背面为阴。万物因为有了阴阳，运行的时候便呈现出一种和谐的状态。人最讨厌孤身寡人、没人支持，也最讨厌人家骂他无德、福薄，但王公却用它们来称呼自己，如"寡人""孤""不谷"等。所以，有些东西似乎是越少越好，得到的过多反而会受到损害。古人是这样教我的，我也这样教给你们和更多的人。崇尚暴力强权的人不得好死，我把它作为非常重要的内容来对待。

[导读]

你听，那些既不孤也不寡的君王们，总是一口一个"孤"，一口一个"寡"，说多了，几乎都让人心疼。

他们可真是聪明人，知道自己拥有的太多，必须得找个缺口，平衡一下，不然所有的好处都让自己给占了，老天爷还不得收拾了他？孤一下，寡一下，换得其他的福报，也挺值。

你看，那盛水的欹器，也是个机灵鬼，从来不敢把自己装得太满，要是不小心倒多了水进去，赶紧倒出来，生怕摔倒了自己。

你再看，那装米的升斗，想多装点，堆成尖尖，没想到一个不稳，尖尖塌了不说，原有的米也给撒出去了。

不知道是不是阴阳二气这两位老师教的它们，有的已经学会了平衡的艺术，拿到了保持和谐的秘钥，有的还得加把劲啊。

瞧，那些疯狂掠夺财富者，有几个能得到善终？或进了监狱，或身败名裂，或得了重病，或痛苦焦虑，或遭遇其他灾祸……所以，要明止，知止，知足常乐，去探索道的秘密。

[诗说]

虚静之中出现了神奇，
那是光灿灿的混元本体，
这本体再生出阴阳二鱼，
它们游呀游呀正在嬉戏。

阴阳生出了天地人三才，
又生出万物绵延不息。
万物有阴有阳互为表里，
虚静中有能量和谐共处。

世上人最嫌恶孤弱无助，
王公却用之代指自己。
因世上多由减损而增益，
有时的增益反会让人受损。

要知道月圆则缺水满则溢，

强权霸道总是不得好死，

你不见历史上那诸多的权臣，

到头来一个个都难得善终。

阳不善待阴万物不生，

君不礼遇民德化不通。

所以做人要低调再低调，

人低为王水低为海。

大道靠阴阳推动万物，

使万物自然各得其所。

圣人顺大道而行政事，

遵循万物的发展规律。

当阴对阳有所敬畏，

万物就会繁荣昌盛。

当阳能统帅阴的时候，

万物就会和谐而充盈。

要是阴阳相害失去秩序，

国家必然混乱殃及万民。

当太阳升起于地平线上，
万物就会繁衍生息。
当圣人居于万民之上，
就会明道德尊卑有序。
太阳落山后黑夜降临，
小人若当政国家蒙尘。

春雷开启大地的生机，
春雨让万物得到滋泽。
圣人好似春雷和春雨，
能统筹兼顾不走极端。

阳气集而能施予万物，
阴气集才能实现转化。
量变总是会引起质变，
圣人重积累积善成德。

君子坦荡荡修身行善，
终于成就不朽的辉煌。
小人长戚戚自取其辱，

会折腾一生郁郁而终。

山若是高到一定的程度，
云雨就会很容易生起。
君子修道至一定境界，
就会德泽后世惠及万民。

有阴功者必然会有阳果，
有阴德者必然会有阳报。
那些默默做事的君子，
必然会有昭显的圣名。

43．金刚至柔

天下之至柔，驰骋天下之至坚。无有入无间，吾是以知无为之有益。不言之教，无为之益，天下希及之。

天下最柔弱柔顺的东西，反而能在世间最坚硬的东西之中纵横穿行，无所障碍。这时，就算别人不给你机会，你也仍然可以影响他。我于是知道了无为的好处。不夸夸其谈的教诲，因为没有一丝功利而能让人受益，天下没几个人知道，也没几个人能做到。

[导读]

当你将一根钉子钉入木头中，木头会拼命地反抗，以其坚韧的阻力。哪怕日后将钉子再拔出来，木头依然耿耿于怀，用那黑黝黝的钉孔，表达受伤后永不愈合的痛楚。

当你将一桶水浇上木头，它欣欣然地便接受了，树木也好，木材也好，并不计较那水的目的，是浇灌它还是浸泡它。也许某一天，水会变成自由的蒸气，离木头而去，它也依然欣欣然地接纳。

没有人愿意将臭鲍鱼捆在身上，却并不在意入鲍鱼之肆逛上一圈，他不知道，那臭味已经悄无声息地黏上了他。

一位滔滔不绝，整日里对你耳提面命的老师，最后留给你的印象，很可能是聒噪无比，你甚至不觉得你真的因此而改变了什么，尽管你能背诵他所有的训斥。

你的父亲从未批评过你或者表扬过你，但每当你有进步的时候，他总会露出欣赏、自豪的笑容，眼里全是鲜花和掌声；每当你做错事的时候，他眼里的静默和些许失望，比鞭子还要有力。于是，你总是自己警醒自己，自己激励自己。

柔弱的力量，静默的力量，都来自无的智慧。

[诗说]

我看到青藤下淌着的水滴，

砸在岩石上碎裂成雾，

它们是如此脆弱，

但那岩石已分明被滴穿。

人们惊讶于坚持的力量，

我看到的却是柔弱胜刚强，

只因水是世上至柔之物，

却能腾跃穿行于天下至坚。

而它却从来不执着于穿越，

只是顺其自然掉落石面。

这就是无为的力量，

虽然无形却能穿墙越壁。

我于是知道了无为之有益，

它不事声张却能发挥大用。

真正的教化超越语言，

真正的大力看似无为，

普天下少有能赶上水的东西，
它是真正的无坚不摧。

治理国家先要治君，
柔弱无为是真正的上德，
顺其自然顺乎民心，
没有违背自然的妄为。
要时时保持审视的目光，
始终安住于内心的觉醒。

由清虚入手融入大道，
万事万物无所不容。
无为似太阳遍照万物，
四时五行能各得其所。

是故圣人行事圆融如水，
抓大放小不计较小节，
看其大略而忽略小过，
不以小恶而妨其大美。

小退是为了保证大进，

小弯是为了终究大直，
度量如海能容污浊，
海纳百川有容乃大。

若百川齐头并进一起奔流，
不入大海则难成汪洋。
若诸士身怀绝技各展其能，
不归于大善则毫无意义。

所有的善言不如善行，
所有的善行要归于仁义。
君子如日月光照世间，
便是有小过也难隐其光明。

这世上没有十全十美之人，
故君子不随便责备于人，
虽方正却不以棱角伤人，
博学多闻却不自赞毁他。

44．站在高山上

名与身孰亲？身与货孰多？得与亡孰病？是故甚爱必大费，多藏必厚亡。故知足不辱，知止不殆，可以长久。

[意译]

名声和生命谁更重要？生命和敛财谁更重要？有得到就必然有失去，哪一方更有害？最爱的东西会带来最大的麻烦，收藏某种东西过了度，最后就很可能会失去它。所以，知足就不会受到侮辱，懂得什么时候该停止就不会有危险，无论关系还是生命，都可以得到保全，以至于长久。

[导读]

我真的有点不相信，人们听不懂"鱼和熊掌不可兼得"这句话。他们会不会是故意听不懂？就像韩非子说的那样，人性就是喜欢心存侥幸。人们总觉得自己可以两全其美，哪怕真的会付出代价，那个倒霉蛋也不会是自己。

别笑话那些淘金的楚人，要钱不要命，宁愿冒着被杀头的危险，还要去淘金。他们总觉得自己不会被抓到。淘金发财的概率远远高于被抓到的概率，何不赌上一把呢！

所以，不是他们听不懂，赌徒的天性就是这样，智者有什么办法？

吕不韦当年奇货可居的时候，如果有人告诉他，这条路走下去的终点是被迫自尽，但一路上很风光，你猜，他会不会依然这么走？

石崇和别人赛富赛得不亦乐乎的时候，如果有人告诉他，再赛下去就没命啦，你猜，他会不会散掉财富退隐保命？

所以，这些话根本不是说给他们听的。

说给谁听的呢？是你吗？

[诗说]

　　我与那老者站在高山上，

　　看着那奔腾不息的河流。

　　河流中有无数的大船，

　　船上站了无数的人。

　　有人往东有人往西，

　　都在闹嚷嚷中折腾不休。

　　老人瞧着那船上的人们，

　　他们正奔往两个方向，

　　一个通往叫"利"的深渊，

　　一个通往叫"名"的火坑。

　　这两处所在都有沼泽，

　　掉进去后都会万劫不复，

　　但他们一个个浑然不觉，

　　反而都唱着欢快的小曲。

　　他们不知道生命正流走，

　　时光像那不会归来的东逝水。

　　在无尽的追名逐利中，

剩下的生命越来越少，

要不了多久，

人生就会在贪欲中终结。

那名声跟生命相比哪一样更亲？

那利欲跟生命相比哪一样更重？

获得物累和丢失执着哪一个有害？

没人知道也没人追问。

爱名定然付出更多代价，

那诸多的运作其实徒耗生命。

猪狗贪食不择食器，

吃得越胖，

便越是接近死亡。

过多地积累财富也是这样，

人的一生不需要太多东西，

你瞧我日求三餐饭，

年求几件衣，

一样活得逍遥惬意，

贪欲太多是惨重的失败。

那成山的金钱你带不走一文，

你聚呀聚呀没完没了，

但只要眼睛一闭，

它就会改变主人。

惊天的名声也是过眼烟云，

那荒草之下的白骨，

曾是惊天动地的英雄。

生命其实有更重要的事，

那便是知足常乐虔心向道。

懂得满足知止，就不会受到屈辱；

懂得适可而止，就不会遇到危险。

这是真正的守常之法，

可以保持长久的安宁。

45. 看似有缺陷的圆满

[原文]

　　大成若缺，其用不弊。大盈若冲，其用不穷。大直若屈，大巧若拙，大辩若讷。躁胜寒，静胜热。清静为天下正。

[意译]

　　最圆满的东西看起来是有缺陷的，但它一直在发挥着作用。最饱满的东西看起来空空的，其实里面暗藏了无穷的智慧，妙用无穷。智者明白世界的真相，不执着于显现上的对错，因此总会随缘，看起来就像经常妥协一样；能成大事的人不走捷径，因此总是显得很笨拙；最善于辩论的人，看起来往往有点笨嘴拙舌。剧烈躁动仅可以暂时御寒，守静无为才能持久耐热。因此，清心守静才是天下正道。

[导读]

这真的不是伪装。

要装，也是残缺伪装成圆满，空虚伪装成充实，诎曲伪装成正直，笨拙伪装成灵巧，口拙伪装成能言。

哪有反过来装的？

只能说这个世界太奇妙。真相与假象，真实与幻境，叫人傻傻分不清。

幻境中的完美无瑕，恰恰是真实中的千疮百孔；真实中的圆满，幻境里看着却总是美中不足。

幻境中的长袖善舞、歌舞升平，恰恰是真实中的误入歧途和空虚落寞；真实中的灵慧通透，在幻境里反而表现为朴实平淡，甚至笨拙木讷。

问题是，我们想活在幻境中，还是活在真实里？

喧嚣的幻境中，你永远也找不到静默的大道。

[诗说]

那些最伟大圆满的真理，

看上去总像是有缺陷，

但它的作用永不枯竭，

像那滚滚滔滔的江河。

那些最充盈的东西，

看上去好像虚空一样，

但它的妙用无穷无尽，

像天空总是有风云雷电。

那些最正直的人，

看上去总是在委曲求全，

为了一个伟大的目标，

他们内方外圆温润如玉。

那些最灵巧的大匠，

看上去往往笨手笨脚。

他们崇尚简单素朴，

懒得搞花里胡哨的东西。

那些最卓越的辩才，

看起来总像是不善言辞。

他知道善辩是银沉默是金，

天帝无言百鬼狰狞。

圣人每临大事有静气，

静气总能消解躁心，

那宁静的心灵之海，

总能照出整个天空。

大道像盛夏的清风，

总能吹遍山川大地。

躁动是情绪的泡沫，

清静是天下的正道。

精神是智慧的源头，

神清则智慧明达。

智慧是心的程序，

智慧正大则心平气和。

天之精是日月星辰，

地之气是阴阳五行，

人之情是喜怒哀乐，

当你不为三者所惑，

即可合道与道相通。

神明因之藏于无迹，

精气凝聚返璞归真。

当我们与道合一之后，
法界就是我们的六根，
目虽明而不靠视看，
耳虽聪而不靠听闻，
口虽能言而不善辩，
心通达却不靠思虑，
甘居于下顺乎自然，
有智慧而不称贤能。

道本是天地万物之本，
流于智谋则天下大乱。
德本是为民造福之源，
别有用心则生出险恶。
心本该清静而应万物，
搞阴谋诡计则生昏暗。

水静的时候就会清澈，
清澈的时候就会平稳，
平稳的时候才能照物，

照出红尘世界的影像万千。

别效法地上流动的浊水，
要效法大渊的清澈深邃。
心只要保持神清意平，
就能映照出事物的真相。

大风摇树时叶会掉落，
外物搅水时清水变浊，
让心独立不为物累所困，
才能保持客观和公正。
公正是安定社会的宝器，
圣者执之可安定天下。
不妄加罪名冤枉百姓，
天下人才会安居乐业。

心如没有尘垢的明镜，
于一片虚静中明明朗朗，
事来纤毫毕现了了分明，
事毕收敛思虑归于虚静。

46．铸剑为犁，走马以粪

[原文]

天下有道，却走马以粪；天下无道，戎马生于郊。祸莫大于不知足，咎莫大于欲得。故知足之足，常足矣。

[意译]

如果君主的治理合乎大道，就会天下太平，人们骑马不再是为了打仗，而是为了给田地制造肥料。如果君主的治理不符合天道，那么天下就会战事不断，连怀孕的母马都要被拉上战场，在战场上生下小马驹。最大的灾祸莫过于不懂得知足，最大的过失莫过于想要得到。所以，知道什么时候该满足，就会得到永久的满足。

[导读]

有的人，不知足，最多伤害自己的性命；而有的人，一旦不知足，伤的却是别人的性命。

当一个人拥有了对别人生杀予夺的权力时，他也就承担了造福天下的重任，若担当不起，那重任就会变成他要偿还的业力。

欲戴皇冠必承其重。这是个高标准高要求的职业，也是个高危职业。

你看，历史上能干好这个岗位的，也没几个。要求是真的高呀！

只论世俗的价值评断标准，干这一行的就得文治武功、品格性情，一样不能缺，缺一个就容易高危，干不到退休，可能就会被下岗，下岗了还难得善终。

若是按照道的标准，那就是升级版的困难模式啦！就连那些个人人称道的有为明君，恐怕也不达标。

有为的明君，未必有道。

何为有道？

老子说了，最起码得能克制自己的贪欲，保天下太平。

听着好像很容易做到的样子，果真如此么？

[诗说]

　　要是君王明白这个道理，

　　那他就是有道的明君。

　　君有道出的是忠臣良将，

　　家有道出的是孝子贤孙，

　　国有道就会风调雨顺，

　　人有道才会和谐安稳。

　　瞧那些运输物资的走马，

　　现在都只用来造粪肥田，

　　千百柄剑也铸成了犁头，

　　千万张弓都落满了灰尘，

　　这是红尘中最美的风景，

　　宁为太平犬不当乱世人。

　　要是遇到无道昏君，

　　杀伐中还是百姓受苦，

　　连怀孕的母马都上了战场，

　　连未成年的孩子都举了刀枪。

　　那一次次的战祸源于不能知足，

那失道的行为源于占有之心。
他们霸天霸地无所不能，
却忘了头顶还有死神，
那死神举了勾魂索，
正要拘走那贪婪之魂。
所以要有知足之心，
才能符合大道的运行。

须知天道运行有它的规律：
越发展越复杂寿命越短，
越简单越质朴越能长生。
所有贪欲都是猛踩油门，
闭着眼冲向万丈悬崖，
若是该刹车时还不能控制，
灭顶之灾就会顷刻间降临。

还是回归那一颗朴心吧，
回归自然之朴，
回归婴儿之朴，
把那刀剑放进火里，
将它铸成犁咱们去耕耘。

47. 不远行而知天下

不出户，知天下；不窥牖，见天道。其出弥远，其知弥少。是以圣人不行而知，不见而明，不为而成。

圣人就算不出门，也知道天下都在发生什么事；就算不打开窗子向外看，也知道天地万物自然宇宙如何运作。要是心不能自主，那么走得越远，知道的现象越多，对真理和真相的了解就反而会越少。所以，圣人不用亲历也明白事理，不用亲见也能洞悉规律，不用刻意强为也能事事成功。

[导读]

江湖上一直有个传说，传说里始终有这样的一种人，他们从来不踏出家门，连窗户外面的风景都不看一眼，更不会涉足江湖。但天下没有他们不知道的事情。天下大势，分也合也；英雄豪杰，谁坐江山，一切尽如他们掌上的纹路，了了分明。

我不知道，司马迁当年壮游时，有没有遇到过这样的人。他走遍了乡间里弄，采访了好多能够"话当年"的老人，不知道，里面有没有这样的一个人？

也许，司马迁没那么幸运。又或许，他遇到了，但他认不出来。毕竟，这个年轻人心中，装的是"读万卷书，行万里路"，他看不出足不出户的人，会有什么高见。

而足不出户的圣人，肯定不会劝司马迁说，小伙子，你还是回去吧，好好在家待着，先修出你本有的智慧，然后你再出门也不迟。毕竟，他要搞文学创作嘛，还是需要积累一些素材的，也不能让他一辈子不出门。

呵呵……圣人知道司马迁只想写《史记》，不想修道。

[诗说]

　　当我们息灭了心中的欲望，

当我们破除了对分别的执着，
我们就会明白真理，
那真理就会成为生活方式。
那时节你就有了智慧，
你会成为命运的主人。

你不用出门便知天下之事，
你不望窗外就明白道的运行。
你的心要是像奔驰的野马，
你跑得越远智慧就会越少。
所以圣人会安住在当下，
观察自己朴素的道心。
他们不远行却明事理，
他们不用眼却洞察真相，
他们不像在积极有为，
但凡事却都能够成功。

因为大道无处不在，
当安住道心发现本有光明，
那时节你便是道，道便是你，
在天人合一里享受人生。

48．为学和修道

为学日益，为道日损。损之又损，以至于无为。无为而无不为。取天下常以无事，及其有事，不足以取天下。

获取知识、积累经验需要一天天增加，修道则需要一天天减少，当你心不外驰，欲望越来越少时，你就会越来越接近道的境界，最后，你的本体智慧就会苏醒。所以，要以无执无为的心应对天下事，否则，就不能很好地享受生命中的每一次相遇了。

[导读]

得道得道，这个词还真是容易将人引入歧途，求道的过程，哪里是"得"的过程哟？分明是"失"或是"舍"，我看，叫作"舍道"，还更确切些。

道是无法得到的，它不是学问和知识。学问可以得，知识也可以得，倘若你今天读一本书，明天又读一本书，一年下来，知识肯定累积了不少。但是道，你就得反着来了。

从前，你没争到某个荣誉或者晋升的岗位，你觉得这日子没法过了，这世界总是跟你过不去。现在，你不争了，无所谓了，你甚至让了那些荣誉和机会。

从前，你深爱的人离开了你，你顿时感觉天都塌了，一切都变得毫无意义，你痛苦你绝望你还自残。现在，你放下了，与过去和解，从此以后，再也不执着任何人。

就这样，你一步一步地舍，舍名舍利，舍执着，舍小我。

你越来越小，道才越来越大；你越来越远，道才越来越近。

[诗说]

修道和做学问是两个路子，
你千万不要混为一谈。

它们像两股道上跑的车，
各自通向不同的目标。

做学问需要每天增加，
要积土成山积水为渊。
不积跬步无以至千里，
不积小流无以成江河。
要在日常生活中积累，
要在点点滴滴中用功。
完成量变自然会引起质变，
用功到某个阶段自然成功。

做世间的学问名可以强立，
做世间的事业功可以强成。
种田者若不辛勤耕种，
仓库里就不会有好的收成。
官员若是消极懈怠，
百姓的事情就会被耽误。
将相若是不顽强进取，
就不会有骄人的功业。

做学问当以沟通为要，

学而不厌诲人不倦。

言说沟通自己与他人，

闻听沟通他人与自己。

因有了语言作为媒体，

学问才有了传播的可能。

要是一个人又聋又哑，

他就不可能成为学者。

所以为学者要广求博闻，

不能孤陋寡闻抱残守缺。

修道却需要一天天减少 ——

减少贪欲，

减少仇恨，

减少傲慢，

减少愚痴，

减少忌妒，

当我们一天天减少心中的污垢，

减到最后再无执着，

就会达到无为之境。

那时节，没有造作之态，

没有功利之心，

做事像婴儿在享受玩具，

快乐自在不问结果得失，

无功利之心却总能成功。

君主治国时更要如此，

要消除私欲服务百姓，

全无目的地与民方便，

这也是君王的另一种修行。

心中无事时能安享大道，

反倒常常会天下归心。

要是时时折腾以苛政扰民，

就不配做天下的主人。

做人更是要远离功利，

要知道生命只是个过程，

我们一天天地追求不止，

生命却在一天天地消失。

人生是一根有限的绳子，

欲望无限如漫漫长路，

你要是拿有限去丈量无限，

我们就成了受惊的野驴。

那驴脾气总是狂乱一气，

酷似那无头的痴呆苍蝇。

乱冲乱撞行为错乱，

人生之车往往会驶错方向。

世上的事本无绝对标准，

人们总是在各取所需。

于己有利者多认为正确，

对己不利者多认为错误。

趣味相合就觉得亲近，

关系疏远就总是生疑。

世上的事多如密雨，

要想不湿身总是很难。

要是让心陷入诸事，

就不可能活得逍遥自主。

那时节，

我们的心就没了主人，

就会成为欲望的奴隶。

这样的日子生不如死，

这样的苦难永不止息。

所以我们要点亮道心，

要安住当下照亮生命。

心中有光时便明方向，

精进用功可超凡入圣。

圣人以无事取天下，

以自然无为应对纷繁。

瞧呀，那一晕圆月已经升起，

它清光无限，

它万方清凉，

它智慧熏然，

它沁人心脾，

它照天照地，

它照世照心，

它是无执之中的一晕神光，

它是生命中无尽的暖意。

49．没有私心的太阳

圣人常无心，以百姓心为心。善者吾善之，不善者吾亦善之，德善。信者吾信之，不信者吾亦信之，德信。圣人在天下，歙歙焉；为天下，浑其心。百姓皆注其耳目，圣人皆孩之。

[意译]

圣人恒常处于一种无私无我的状态，安住于大道之心，他的心就像镜子一样，总能照出老百姓的心。善良的人他会以善意来对待，不善良的人他也会以善意来对待。因为他的德行已经到了这个层次。对他诚实守信的人他会报之以诚实守信，对他不诚实不守信的人，他仍然会报之以诚实守信，因为诚实守信是他的品质。圣人就像大地一样，能包容万物，与万物同心。

百姓总是专注于他们的耳目，各用其聪明，圣人则像孩童一般，保持淳朴。

[导读]

让我们来谈谈"德"吧。

在山泉水清，出山泉水浊。字的源头和水的源头一样，清澈明晰，而随着流布渐广，其中混入的内容也越来越多。"德"字尤其如此。我们今天说的道德，早已不是本初的道德，这"德"字，也是越发难以辨别其本来面目了。

你知道的，我们今天谈论的道德，充满了主观性，不同的时代、不同的地域，人们的道德标准并不一样，你认为无法容忍的，在别处也许视为寻常。

但圣人最初所说的道德，是一种客观律则。大道自不必说，德，也是一种客观标准。

何为德？老子说"道生之，德畜之"，道生了万物，而德养育、化育万物。德，唯一的客观标准，就是能利益万物的生长化育。

如此一来，一切都简单了。再也不必为了道德与不道德的问题，而争吵不休了。想做一个有德者，方向也无比清晰明确了：你能有益于众生的成长吗？能，方向就对了。

看看老子所说的圣人，是不是这样的有德者？是不是以淳朴之心对待百姓，所作所为，皆是为了促进他们的幸福？

[诗说]

真正的圣人没有他自己，

没有私心也没有贪欲。

他知进知退没有阻碍，

教化天下如顺风扬尘。

他明白活着只是过程，

人无论如何都会逝去。

一切都抓不住正在溜走，

一切都是太阳下的露珠。

一切都是镜花水月，

一切都是一点点记忆。

那记忆也像远去的黄狗，

正被那遗忘一点点吞噬。

圣人随缘度世毫不勉强，

看星星望月亮好生惬意。

他为百姓的需要而活着，
心中没有一点点分别。
百姓喜欢的他也喜欢，
百姓讨厌的他也接受。
无论对方是善人恶人，
他都像母亲对待婴儿。
对于守信者他也守信，
对失信者他不弃不离。

圣人的心非常像太阳，
鲜花毒草他都会照耀，
善与不善者皆受其益，
于是百花齐放充满生机。

虽然人人都能聪明算计，
但圣人让他们复归于婴儿。
他们淳朴的微笑没半点造作，
就像婴儿们望着母亲。

世上一切于是呈现出美丽，
都是浑然一味生于自然。

个个都收敛了自己的欲望，
心思已全部归于拙朴。

然而圣人不能强行出世，
条件不备时会潜行于世，
好似雷霆总藏于苍穹，
也像美玉总藏于石中。

沧浪之水清兮濯吾缨，
沧浪之水浊兮濯吾足，
一旦时机成熟条件具足，
便可像雷霆震响于天空。

圣人做人精诚于内，
圣人做事德流四方，
内心强大犹如天地，
天下万物无不覆载。

天包容而养育了万物，
天德只奉献而不索取，
日月有正大光明之德，

无尽的光明照耀有缘。

当天覆地载相容相和，
大地就会稳定和安宁。
惠及广远长久不衰，
万物因之得到滋养。
圣人效法天心地德，
无所不容惠及万民。

圣人忧百姓之忧，
圣人乐百姓之乐，
对天下有利则诲人不倦，
对天下有害则噤若寒蝉。

圣人治世注重防患于未然，
而看轻不可预料的结果。
他们畏因不畏果，
重心亦先于重形。

圣人行事先得百姓之心，
重农先充实国家之仓，

次者理财开源节流，
如绵绵之水不与民争利。

圣人法天顺地不拘于俗，
圣人阴阳为纲四时为纪，
圣人做事要相机而动，
没有超出时代的奢求。

天道没有给予之心，
是故亦无夺取之意；
天道没有私德局限，
就不会仇恨和埋怨。
善于给予者必善于掠夺，
善生赞美者必善于生怨。

若见美誉必随之大毁，
若图大利必随之大害。
利是害的前奏，
福是祸的先锋，
想无害不必求利，
想无祸不用贪福。

有权威而能合乎大道，

百姓就会乐于跟随。

想做大事却道德低下，

会德不配位凶多吉少。

小恩小惠会损伤道心，

过于苛刻无益于行道。

即使是遭遇了一场大火，

触火者死于烈火之中，

稍远的石头已被熏黑，

百步外却能安然无恙。

同一场火灾结果却不同，

取决于你与灾祸的距离。

因此圣者懂得分寸，

不近权威故远离祸患。

要知道世上有四种怨恨，

往往会导致可怕的祸患：

居高位者必然遭忌，

要淡泊名利礼贤下士；

功高震主者十分危险，
要急流勇退减少私欲；
俸禄厚者必招忌妒，
布施应该更为广博；
行高于人人必诽之，
当韬光养晦和光同尘。

要乐于修德而忘记贵贱，
要乐于修道而不怕贫穷，
不追求名利而忘了志向，
不会被利诱而安贫乐道。

当知道人之寿不过百年，
那忧虑之水却滔滔不绝。
杞人忧天徒劳无益，
要安住当下静对变化。

若是花开非时反常，
其结果也会相应异化。
对于反常的诸多事物，
处理时一定要谨慎小心。

圣人当效法天道自然，

以虚静为主善始善终，

过多干预会折腾百姓，

百姓得不到自主和安定。

勿搅勿扰万物将自清，

勿惊勿骇百姓将自理，

尊重民意顺乎民心，

随顺自然规律绝不强求。

圣人以善示人不故弄玄虚，

不轻易改变故旧的常规，

圣人不穿奇装异服，

圣人没有诡异之行，

圣人没有谀美之语，

圣人不居短命之地，

圣人不行不归之路。

圣人通达而不华美，

贫穷亦不失尊贵，

荣耀而不卖弄，

隐忍而不可辱，

有特性而不怪诞，

外示土石而内怀宝玉。

圣人抛弃片面和主观，

圣人远离自私与贪婪，

圣人顺其自然顺世而为，

圣人效法天地恒久施惠，

圣人好似日月大公无私，

圣人和合阴阳生养万物。

50．时间之花

出生入死，生之徒，十有三；死之徒，十有三；人之生，动之于死地，亦十有三。夫何故？以其生生之厚。盖闻善摄生者，陆行不遇兕虎，入军不被甲兵。兕无所投其角，虎无所措其爪，兵无所容其刃。夫何故？以其无死地。

[意译]

生和死是两种相互转化又相互独立的状态，就像光和影一样，生的状态大概占十分之三；死的状态大概也占十分之三；虽有生命但随时会死的状态，同样占十分之三；剩下的十分之一，则属于未知状态。为什么虽然有生命却随时会死呢？因为吃得太好，用得太好，享受过度，福报消耗得太快。听说，如果一个人善于养生，在陆地上行走就不会遇到猛兽，打仗时也不会被武器所伤，因为他知道分寸，也知道什么时候不该做什么事。那么，犀牛的角再厉害，老虎的爪牙再尖利，兵器的攻击力再强大，也伤害不了他。为什么？因为他不会让自己陷入险境。

[导读]

不知从什么时候开始，出生入死，变成了如此惊心动魄的词语，听来极其刀光剑影。

其实，出生和入死，原本很云淡风轻，就像是一朵花儿轻轻地绽放，又轻轻地凋零。世间的花儿大抵如此，只有人，这种时间之花，将绽放和凋零，弄出了波涛汹涌的动静。

只因为，人不安于做一朵遵循大道的时间之花。他们对自己的花期时长，极为不甘，极为不满。他们躁动不安，他们左冲右突，想尽办法，想要在世上多绽放一些时日。

我不知道，他们究竟想出了多少条妙招，试验了多少种方法，度过了多少个患得患失的日夜。

我只知道，他们最后依然被时间带走了，有的，还是被提前带走的。

而那些尽天年的花儿们，从不折腾。若不是松柏，就别去挑战冰霜严寒。

　　它们安安静静，对于凋零，不迎不拒。最终还可以化作春泥更护花，那春泥是它们，那花也是它们。

　　瞧那个神秘的老人。在时光的尽头，他对你笑着，他的白胡子快乐地跳着舞。人人都在说，他已死去了千年，于是你看了看他，他却孩子般朝你挤了挤眼睛。你不小心笑了，庄重的人群顿时沸腾了，都说，你这个孩子怎么这般没心没肺，对圣人没有一点尊重！你于是伸手指向那老人的所在，老人却摆了摆手，像闪电般消失了，剩下你好个委屈。

　　委屈就委屈吧，你也没啥好说的。你看到人们的嘴张呀合呀，里面吐出一个个字，却不想理会那些内容。你还沉浸在老人留下的氛围里。怪的是，那老人就像个鬼精灵，他留下的氛围却如此温暖，似乎有一种暖暖的爱在流动着。你的整个身心都暖融融的，很舒服，就像在寒冬里沐浴着日光。你回味着，回味着，回过神时，人群已散去了。于是你开始思考"生""死"两个字。

　　死是什么？生又是什么？如果老人早已死去，你见到的是什么？如果老人还活着，为何他刹那间就消失？你正想着，半空中有一道电弧光划过，老人又出现了 —— 他就像撕开幕布走进来般，站在你面前。

　　他说，孩子，生死是一个幻觉，不是从生到死，而是生的同时就在死去。你看似还活着，但新陈代谢从没离开过你的身体，新的细胞替代了旧的细胞，你时时刻刻都在死去和重生，只是你不知道而已。我看似已死去，但我的灵魂从来没有消失过，我以暗物质的形式存在着，随时可以连通跟我有缘的众生，比如你。这时，在你的世界里，我就是活着的。所以，你说生死是什么？

　　你一言不发地看着老人，像是懂了，又像是没懂。于是老人笑了。他转身望向高高的天空，微风吹过，老人的白发白须又跳起了舞。这时的老人是如此肃穆，那个孩子般的他就像是个梦。你恍惚了。在恍惚中，老人的歌声像梦一样响起，那声音，是如此熟悉……

　　[诗说]

　　　　　　要知道人活着其实很难，
　　　　　　人只是一朵朵时间之花。
　　　　　　这世上有着太多的风霜，
　　　　　　总能让万花凋零成泥。
　　　　　　每个人出生便走向死亡，
　　　　　　"死"字是人类摆不脱的魔咒。

长寿之人约占十分之三，

十分之三会短命夭折，

十分之三本可安享天年，

却总是折腾不已自寻死路。

奉养过度而死者比比皆是，

像那些吞金丹而死的皇帝。

人犯了三事会死于非命，

上天也救不了寻死之人。

一是饮食不节贪食成病，

不爱惜身体自贱己身。

二是贪得无厌欲壑难填，

导致犯法难逃天网。

三是以寡犯众以卵击石，

为对方所杀自取灭亡。

要知道多施恩必有回报，

积怨深者祸患也大。

撒什么种子结什么果，

不要有薄施厚报的奢求。

圣人善于养生暗合大道，
他们绝不会陷入危地。
他们践行天命不惑于祸福，
一动一静都随顺天理。
不强人之所不能及，
行为合乎人之所需，
顺应人性自然而为，
让道德成为一种生活方式。

他们治心不轻易喜怒，
赏善罚恶而不徇私情。
利私废公者决不施赏，
逆私顺公者亦不施罚。

上品做事收获大而不劳心，
中品做事有收获没有祸患，
下品做事有祸却精进不懈，
当结合历史经验而取舍。

圣人洞悉百姓的情志，
绝不让欲望伤害天理。

他们不过度放纵私欲，

以知足之心养生怡情。

他们顺其自然顺乎民心，

不过于强调个人意志。

他们力求做正确之事，

但不憎恨他人的批评。

他们力求修爱民之德，

但不希望能得到赞誉。

如父母爱子不求回报，

圣者爱民也非为己用。

爱民仁政只是其天性，

施仁爱民得众人之力。

圣人用人用爱民之人，

不是为了一己之喜好。

圣人施德的范围越广，

其影响力就越久越远。

圣者虽不能阻断祸患，

但坚信自己没招来祸事。
圣人不能招无因之福，
但坚信自己正在造福。

即使命运多舛经历坎坷，
也会安贫乐道不会埋怨。
即使命通运达得到富贵，
也不骄傲自满得意忘形。

当政局不稳采取变革，
必然会招致社会动荡。
若德行不足以求浮名，
必然会招致挫折失败。

高明的贤君闲居而乐，
来者不迎去者不送，
不为善不避丑遵天之道，
不求福不辞祸遵道法则，
独立于中道不失其位，
无为而治则天下太平。

成道者陆上行走不会遭遇猛兽，

身处战事之中也不会被武器所伤。

犀牛不会投角刺他们，

老虎不会对他们伸爪，

世上的武器虽多却杀不了道，

就像那刀剑虽利却伤不了虚空。

你别问他们为啥会这样，

因为明道之心无生无死。

那生呀死呀只是个幻觉，

顺应自然便超越生死。

生前不知我是谁，

死后不知谁是我，

"我"其实只是自然的游戏，

一堆堆元素构成了肉体，

那些元素跟大理石一样，

生死仅仅是物质的转换。

一堆堆量子一晕晕能量，

一个个念头一次次化学反应，

这一切构成了所谓的人生，

窥破后自然不再有执着。

生如一朵浪花跃出水面，

死如一个水滴融入大海，

那跃呀融呀从没离开本体，

那生呀死呀只是一个词语。

咿呀，雪漠你可明白此意，

那时间空间皆是心灵的感知。

51．玄妙之德

［原文］

道生之，德畜之，物形之，势成之。是以万物莫不尊道而贵德。道之尊，德之贵，夫莫之命而常自然。故道生之，德畜之，长之育之，亭之毒之，养之覆之。生而不有，为而不恃，长而不宰，是谓玄德。

［意译］

道生万物，德育万物，在道和德的作用下，万事万物呈现出了一种新的面貌，环境因之形成。因此，所有行为上承载了道和德的人，都会得到万物 —— 不只是人 —— 的尊重。智慧上合道、行为上有德的人之所以尊贵，是因为他们觉得本来就是这样，从不张扬地邀功。所以，道生万物，德育万物，我们每个人都要靠自己的德行、诚信，把道给体现出来，让它生长，让它成熟，让它收获，并且保护它。帮助但不控制，做了很多事却不认为自己有功，帮助万物生长而不去主宰万物，就是真正的道德。

[导读]

这世间有很多镜子。以水为镜，能知面容；以铜为镜，能正衣冠；以古为镜，能知兴替；以人为镜，能明得失。

那么，以道为镜，以德为镜，又当如何？

我们将领悟到宇宙中最高的道德——无我利他。

我深深地致敬老子这位悲悯的大智者，信奉大道不言的他，竟然在这个问题上，变成了絮絮叨叨的老婆婆，翻来覆去，覆去翻来，只为了使我们知晓道德真正的尊贵之处何在；只为了使我们能产生哪怕一丁点的向往之心，去学习道德的不求回报的付出。

道生出了万物，德化育了万物，我们得到了一切所需，唯独感受不到被主宰和被干涉。

世间的任何人际关系，都是得到与付出的博弈游戏，相互交换着有形或无形的东西。哪怕看似全然的无条件的单方给予，也夹缠着无形的能量干涉、依赖和控制。除非，人们已经做到了道和德做到的那样。

如此，你便知晓，道德的尊贵，是多么难能可贵！

瞧，那孤独的老人又在月下唱歌了，他眯缝着眼，缓缓吐出一个个智慧的音符。他显然已经忘了自己，忘了这首歌，忘了他身边的青牛，忘了这个世界，忘了时间和空间，甚至也忘了有没有人在听……

[诗说]

你瞧那大道养育了我们，
那道因化成了万物之德，
那生成和运行只是过程，
天地万物就是这样存在。

于是都有了各自的本性，
其选择和条件构成了命运，
各种各样的形态随之出现，
相辅相成产生化学反应，
不停地斗争也不断地融合，
构成一幕幕和谐的剧情。
万象乘势起兴又势尽而亡，

上演着成住坏灭的戏剧。

生者来了，死者去了，

如此循环往复生生不息。

虽然大道无言不自我吹嘘，

我们还是要通晓天机。

要明白大道是无上之尊，

要尊道贵德顺应那天意。

如果说道是真理的本体，

德便是那真理的妙用。

道赋予万物以初心生命，

德赋予万物以体性本能。

大道像母亲对婴儿一样，

提供营养让万物生长，

既可以养育万物让其生长成形，

也可以保护万物使其成熟丰收。

大道对万物众生一视同仁，

不偏爱任其自生自灭。

创万物而不据为己有，

育万物而不自恃有功，

引万物而不加以主宰，

这才是真正的玄妙之德。

大道像天空中悬挂的太阳，

万物像水中嬉戏的鱼群，

太阳只施以照耀之德，

而不参与鱼类的纷争，

便是看到那大鱼吃小鱼，

大道也不干预任其发生。

要知道大自然所独有的规律，

便是万德之贵和大道之尊。

52. 关闭欲门

[原文]

天下有始，以为天下母。既得其母，以知其子；既知其子，复守其母，没身不殆。塞其兑，闭其门，终身不勤；开其兑，济其事，终身不救。见小曰明，守柔曰强。用其光，复归其明，无遗身殃，是谓袭常。

[意译]

天地间有个最本初的东西，它是万物之源。当我们发现万物的源头（也就是大道的本体）时，我们就能感知到世间万物了，因为道生万物。既然感知到了世界，我们就要守住大道的本体，这样一来，我们就一辈子都不会遇到危险。如何守住？用智慧或戒律堵住欲望造成的心灵缺口，关闭欲望之门，一辈子都不做欲望的奴隶。如果做不到这一点，让欲望的缺口敞开了，事情就会一件一件地向你涌来，你这辈子就注定会庸庸碌碌，无所作为。极细微处也能看见叫"明"，守住无我的状态叫"强"。在智慧光明的观照下，把智慧用于处事做人，就不会招来灾难。上述的行为，就是得道者的生活方式。

[导读]

有经验的猎人，根据母的动物，就知道它的孩子们的情况；看住幼崽，就能把它的母亲引出来。当然，我不是教你利用母子关系去捕猎。如果非要说捕猎，那么，就请把自己的心当作猎物吧。

对，在你捕猎自心时，你也需要了解一种母子关系。那就是大道母体与万物子体之间的关系。子的背后总有母，把握住了母，无论子多么花样百出，多么令你眼花缭乱，你也不会乱了心跟着到处追逐。

一开始，你还是个生手，总会情不自禁地被各种子迷惑，这个你想要，那个你也不愿放过，你要是忘了母子关系，看不住母，只顾围着子，野了心地乱跑，那会相当危险。

渐渐地，你变得成熟稳重，你不仅知道牢牢地守住母，那些子们就怎么都跑不出天去；你还知道观察子的行动，据此判断母的形势和反应。

于是，你终于猎住了你的心，无论母与子玩出多么热闹的游戏，你心如明镜，你心如止水。

[诗说]

　　　　　　天下万物有个出生的根本，
　　　　　　那便是母体也名为大道，
　　　　　　要是明白了大道真谛，
　　　　　　便也会明白万物的运行。
　　　　　　要是能洞悉各种现象，
　　　　　　却仍能不忘本体之智，
　　　　　　我们就会安然无恙，
　　　　　　不再有被损害的危机。

　　　　　　我们要塞住欲望的孔穴，
　　　　　　我们要阻断贪婪的门径，
　　　　　　这样就不会像那忧天的杞人，
　　　　　　不会庸人自扰徒增烦恼。

　　　　　　那欲望之门如堤上的蚁穴，

看似无关紧要可以忽略，

但只要有一线腐朽坏口，

整个防线就会被毁坏，

麻烦之水绵绵不绝，

滚滚滔滔摧毁人生之堤。

忽视不惹眼的小事，

便可能酿成巨大的祸患。

灾难都是由人心引起，

福同样也由心灵感召。

福与祸本质上出自一门，

像一幅织锦的正反两面。

智虑是祸福的门户，

动静是利害的枢纽。

能臣精于谋国却拙于谋身，

能治乱却不能全生。

所谓不能全生，

即不能保全其自然天性，

在名闻利养中失去自己，

变成被欲望支配之人。

圣人能洞悉世道人心，

能推测事理而预先筹谋，

也能把控阴阳能柔能刚，

能根据时机决定行止进退，

明晰矛盾观察变化规律，

根据具体条件而行事功。

因此圣人总能掌握先机，

在治乱的同时实现全生。

有些事可说不可做，

是因为做事需要取舍；

有些事可做不可说，

是因为做事要明适度的隐显。

做大事易始而难终，

享大名难成而易败。

循道者总是会相机而动，

会保护弱小积爱少憎。

他思虑祸患会多于积福，

多与人为善不去树敌。

虽然秋霜能肃杀万物，

树下的禾苗会安然无恙。

虽然世上有不绝的灾祸，

未雨绸缪者自然得免。

世人皆知要消灾免祸，

却很少有人会防患于未然。

上工治未病易于实施，

待灾祸形成就很难化解。

祸患的形成原因很多，

难以说出有效的妙方。

圣人深居简出以避祸，

静观物动以待天时。

小人上蹿下跳胆大妄为，

往往陷于祸患难以全身。

人们总是亡羊补牢，

在祸患形成后才想要补救，

真正的智者无使祸生，

先使无辱再谈求功名。

如果以不义而得到财富，

而又不愿意回报社会，

就容易招致祸患缠身，

致使不祥的结局出现。

当知过盈则溢过锐则折，

大风总起于青萍之末。

若是不自律做了恶事，

要及时改正悔过自新。

圣人有着鸿鹄之志，

愿天下太平造福苍生，

行为上却会小心警觉，

不敢纵欲且戒祸慎微。

圣人的智慧广大无垠，

滔滔不绝犹如清泉，

内有方正而外示圆润，

好似四毂统领诸辐。

圣人为善而不嫌小，

圣人改过而不舍微，

圣人敬鬼神而不谈怪异，

以正教化顺势而成。

人生之福如绵绵流水，

当学会慢慢地享受过程。

那祸患之来却如大山，

总能压碎狂悖的个体。

智者要明祸福之程序，

始终洞悉其机谨慎而行。

以有限生命解决无穷纷杂，

终其一生也不能救治。

要从细微处发现真相，

这便是无为的超越智慧。

这就像你处于暗室之中，

终其一生在黑暗中摸索，

但只要一线耀目的光明，

便能刺破千年的暗夜。

要持守柔弱持之以恒，
这才是真正的强大无敌。
我们要借用大道的光芒，
返回内心而照亮自己，
从此能远离贪欲之灾，
让大道智慧万世不绝。

53．月下的老人

使我介然有知，行于大道，唯施是畏。大道甚夷，民甚好径。朝甚除，田甚芜，仓甚虚，服文采，带利剑，厌饮食，货财有余。是谓盗夸，非道也哉！

[意译]

假使我自己有智慧，行走在大道上，就怕误入歧路。如果我迷失了，就会走上邪路，这是唯一需要担心的地方。大道非常平坦宽阔，奈何人们却喜欢走捷径，走邪道。你看那宫殿的阶梯如此高耸，农田却已经一片荒芜，粮仓也已空空如也，可君王们还是锦衣华服，佩带宝剑，酒足饭饱，腰缠万贯。这简直是强盗行径啊，太不合道了！

[导读]

我听到老子也骂人了。

说这话的真是老子吗？这稳重的老人，终于也有了鲁迅的脾气。不过，这也许不是脾气，而是感叹，感叹世人看不到恒常的大道，偏要追逐一些不能长久的东西。

和我们乡下的老人家骂学坏的年轻人一样，背着两手，转过头，狠狠地骂一句：正道不走你走邪道！有好果子给你吃！

通常，被骂的年轻人，都是村里的二流子，偷鸡摸狗，坑蒙拐骗，啥都干，就是正事不干。还打扮得挺风光，像是钱从天上掉下来砸到他怀里似的。虽然他们压根儿不理睬老人家的骂，可过不了多久，果然都吃到了好果子，被抓了。

老子骂的，是另一些"二流子"，有身份，有权位，却也正事不干。不事耕种，不事生产，弄得国家空虚，民不聊生。他们自己却过得光鲜，原来钱都是抢的、搜刮来的。

我都不好意思揭发他们的身份，竟然是掌权者，明明跟我们村里的二流子是一副德行嘛！

那"好果子"也是吃定了。

[诗说]

老人捋了捋胸前白髯，
白发飘在风中如同拂尘。
他月下披云长啸一声，
仿佛来自亘古的慨叹 ——

假如我对大道有些许了解，
我便要行走在大道之下，
这时我总是小心翼翼，
总是会担心走上邪路。

最可笑是那些世上的君王，
他们总是显得本末倒置。
虽然那大道平坦如砥，
但他们总喜欢走那歪道邪径。
瞧那宫殿虽然美轮美奂，
朝政却充溢着腐败之气，
那田园更是一片荒芜，
国库和官仓也少钱缺粮。
百姓饥寒交迫面有菜色，

君王却穿着华美的衣服，

他身佩利剑饱餐美食，

金银珠宝堆满了宫殿。

这明明是强盗行径，

却出自那所谓的国君。

他们被权势蒙蔽了眼睛，

才不知祸患很快要来临。

每个人都是自己的君王，

也常常容易走上邪路，

虽有着丰盈的修道资粮，

行为却跟那乞丐无异，

总是在追求物质享受，

总是关注心外的世界，

总是依赖外界来给予，

不去寻觅大道的真谛。

那人身之宝看上去健美，

奈何心灵的田地已荒芜，

这其实也是在暴殄天物，

无所事事让一生空过。

54．以自己为起点

[原文]

善建者不拔，善抱者不脱，子孙以祭祀不辍。修之于国，其德乃真；修之于家，其德乃余；修之于乡，其德乃长；修之于国，其德乃丰；修之于天下，其德乃普。故以身观身，以家观家，以乡观乡，以国观国，以天下观天下。吾何以知天下然哉？以此。

[意译]

如果你善于建立和建设，你建立的东西就不容易被摧毁或撼动。如果你善于抱守，你的东西别人就抢不走。子子孙孙都为你祭祀，说明你的家族源远流长。用自己的身体和生命来实践智慧文化，就会拥有真实可信的德行。如果把这种文化引入

自己的家庭，用它来培养自己、培养伴侣、培养孩子，你的家庭
就会有很好的家风，这种家风一直传承下去，你的家族就会繁
荣兴盛；如果不但自己和家人传承优秀文化，还用这种文化来影
响家乡的每一个人，让父老乡亲都能传承这种文化，那么父老
乡亲们的德行也会增长，并且变得非常幸福，受到大家的尊重；
国家如果有了这种德行，就会变得非常富足，好的德行也会发
扬光大；如果天下人都成为这种文化的传承者，天下就会变得和
谐、安宁、有序，子孙后代也会享有千秋万世的安乐生活。所以，
要在自己身上下功夫，以自己的体验来观察别人的体验，以自
己对家庭的理解来观察别人的家庭，以自己对家乡的感悟来观
察别人的家乡，以自己对祖国的了解来观察别的国家，以自己
对天下的感知来观察天下。我是怎么知道这个规律的？就是靠
上面所说的观察。

[导读]

原来，并不只有儒家，才注重修身齐家治国平天下。你看，
老子说的也是同一个意思呢！他真是一个既能超然物外，又能
入世济世的智者。

当然，老子和孔夫子的出发点和目的地，都是不一样的，
之所以有相似之处，无非像那高架桥和地面路有一段平行重合

而已。孔子为治天下而治天下，老子却是为了将道与德传续下去，推广开来。

如何才能传续下去？如何才能推广开来？

点亮大道的火把，小心护持着，不要让风吹灭了它；更要握紧了，以免失手掉落。

庄子说薪尽火传，那薪是一茬茬的人，那火就是能让人立住的精神——与道相合，具有真德。传下去了，便子孙祭祀永不断绝。

以自己的真德为光焰，吸引一个个愿意来点亮自己的火把，从一家到另一家，从一乡到另一乡，从一国到另一国，直到照亮全天下。

老子的声音很悠扬，就像坐在山谷里歌唱。那苍老的歌声划破天际，瞧，就要流到天的尽头去了。天的尽头，是否有一对善解人意的耳朵、一个声音悦耳的喉咙，和一副好身子骨？你知道，那耳朵，是用来闻听真理的；那喉咙，是用来传扬真理的；那身子骨，是用来听完照做的……所以，你会是它们的主人吗？

你的心里，是否也荡漾着老子心中的那首歌？

[诗说]

老人的大臂一挥之后，

我看到一条美丽的彩虹。

它从天的这头划到那头，

好一幅壮美的自然之景。

他抽出一把闪光的佩剑，

让我去斩断那通天之虹。

我当然知道这是徒劳，

彩虹虽有形其质为虚空，

利剑如何能斩断那虚空？

老人说大道亦如虚空难以毁坏，

它不是有形物质的聚合，

如空气般无处不在，

它本自元成无生无死，

远离人间的上下高低。

善赏者少花费而多劝诫，

善罚者少刑罚而多推恩，

善给予者多施以德行，

善取者大获而不招怨。

赏一人而天下趋之，

罚一人而天下畏之。

最好的赏赐不费厚财，

最好的刑法不滥用刑。

君臣分工协作就能大治，

上下各得其宜各居其位，

互相制衡本末不可倒置，

职责混乱无序定会大乱。

大义不可尽利天下之人，

但利一人天下会蜂起从之。

暴者不会尽害天下之人，

但害一人会失去天下之心。

大道善于构建不会被摧毁，

大道善于守成不会被夺取，

如果我们明白这个真理，

子子孙孙就会绵延不绝。

文化是一种生命程序，

它会左右生命的运行。
当文化成为生活方式，
文明才会金珠般传承。

如果行为上践行真理，
我们的德行就会变得纯粹。
当一动一静敦厚淳朴，
就不会成为欲望的奴隶。

如果治家上实践真理，
家道之德就会丰盈。
父慈子孝兄宽弟忍，
好一派祥和的人间美景。

如果在乡里能践行大道，
真理就会受到尊崇。
乡里乡亲如同道友，
友爱和顺成人间净境。

如果国家能践行大道，
国家之德就会博大。

忠臣良将各守天命，

百姓们都会安居乐业。

如果天下人都践行真理，

就会善行天下泽及万物。

让和平之光永照天下，

世上不再有刀兵之气。

因此我们要以己推人，

以修身来观照他人，

以自家来观照他家，

以故乡来观照他乡，

以平天下之道来观照天下。

我之所以明白天下万象，

就是用了这样的方法。

教化百姓不靠华美语言，

而要看君王的具体行为。

若是人君喜好斗争，

国家就会陷于祸乱浩劫。

若是人君贪好美色；

百姓也会变得淫乱失序。

楚王好细腰宫中多饿死，

就是君王的贪欲带来了混乱。

圣人治世先治己，

治人先治身，

治身先治行，

治行先治心，

治心先治慧，

治慧先精诚。

内心深处有无伪的精诚，

外达行为上有公正的好憎，

才会出言有真情，

发令方向明。

靠刑罚难以改变风气，

靠杀戮禁绝不了奸邪，

治国要靠精神感化，

精诚之心是其根本。

精诚是心中的太阳，

精诚是和煦的春风，

精诚是晴空的澄明，
精诚能让万物生长。
精诚是一支支神秘的箭，
能射中一颗颗混乱之心，
让其息灭烦恼和忧虑，
从此归于大道的清明。

高明的治身恬愉精神，
心平气和则百骸安宁。
教化百姓涵养道德心性，
顺善意防邪心成为习俗。

如知晓祸乱产生的根源，
能有效防范祸乱的产生。
静而无为循性保真，
无所诱惑安住素朴。

审慎地决定动静之变，
适当把握接受和赠予。
明白进退隐显之道，
示弱守静待时而动。

55．圣心如婴

[原文]

含德之厚，比于赤子。毒虫不螫，猛兽不据，攫鸟不搏。骨弱筋柔而握固。未知牝牡之合而朘作，精之至也。终日号而不嗄，和之至也。知和曰常，知常曰明。益生曰祥。心使气曰强。物壮则老，谓之不道，不道早已。

[意译]

厚德的得道之人，心就像刚出生的孩子一样干净，毒虫、猛兽、猛禽一般不会伤害他们。得道者的心也像婴儿的拳头一样，虽然很柔很弱，但不容易失去自己得到的东西。婴儿不知男女之事，小鸡鸡却仍然会勃起，因为婴儿的精力非常旺盛，生命之能饱满到极点，得道者也是这样。婴儿整天号哭，嗓子却不会变哑，因为他们哭时是全身用力，得道者的机体也和谐到极致，所以就算劳动一整天，也不会觉得疲惫。真正地明白什么是"和"，说明"和"已经成为他的常态，而不是他向往的状态，这就叫"常"。真正地知道何谓"常"，说明真理已经成为他的生活方式，这就叫"明"。能有益于生命、生活和世界，才是"祥"。心能控制生命，精神能控制肉体，才称得上"强"。物质非常容易变化，发展到顶点时必然会离散，聚合到一定程度时也必然会离散。

[导读]

你可看到那燃烧的火把，遇到一个具足了燃烧条件的火把，它俩只是碰了碰额头，没着火的那一位，就开始燃烧了 —— 那火焰，滋啦一声跳到了它的脑袋上，然后开开心心地跳起了舞，变得越来越大，变成了点燃它的那位孪生兄弟。它们都在发出一种奇怪的声音，那声波，迟钝的人类读不懂，其中有些特别敏感的，却会湿了眼眶。他知道，那声波，正发送到遥远的宇宙中，那是一串串祈祷文，它们在祈祷着伟大存在的加持，祈祷着让世界也像自己一样，被智慧之火点燃。也许，当这样的火把越来越多时，吉祥真的会降临，智慧之火会驱散黑暗，让人类被光明笼罩。

你说呢?

你可知道,真正的智慧之火是什么?

你可知道,老子也是这火精灵,千年了,他的祈祷文还在一波波传向世界宇宙,接收到那信号的人,心也在滚烫地燃烧了。

一个火把,燃烧得越持久,越能点亮更多的人。而一个厚德的人,便是一个能持续燃烧的火把。

厚德能够载物,如同厚土。厚土乃是累积而成,厚德同样如此。

你一定很想知道,如何做才能累积厚德,是不是?

老子说了,得道的过程,是不断减损的过程。其实,累积厚德也一样。你只要看看,一个人从婴儿长到成人,多出了多少东西,就明白为什么婴儿尚有厚德,成人却日渐薄弱了。

他们多出了一千种、一万种消耗精气的方法,且不以为意;

他们多出了一千个、一万个扰乱心气的念头,且不自知;

他们卷入了一千个、一万个失去平和的旋涡,且甘之如饴……

你不必费劲心神地去累积厚德,只要循道而行,德自然累积。

回到天真淳朴的婴儿状态吧,柔和,祥和。

[诗说]

真正的圣者道德深厚，

像那可爱淳朴的圣婴，

居上时百姓乐于被统治，

处下时百姓思慕其德行，

毒虫不忍心螫他，

猛兽不会伤害他，

凶恶的鸟也不会搏击他。

你认真观察那些婴儿，

其外相虽柔弱无执，

但拳头却握得很紧。

他虽然不晓男女欲望，

却精气充盈小鸡鸡时时勃起。

他虽然整天啼哭不已，

但和气纯厚嗓门不会嘶哑。

圣者之心像婴儿般纯净，

但深明大道不会昏聩，

淳朴和谐已成为常态，

不会再被欲望所奴役。

少欲知足者才能长久，

逞强纵欲者必定遭殃。

因为当事物过了极点，

就会由盛转衰趋向灭亡。

瞧那太阳一过正午，

就走向日薄西山的归途。

56. 静默中有大义

[原文]

知者不言，言者不知。塞其兑，闭其门；挫其锐，解其纷；和其光，同其尘，是谓玄同。故不可得而亲，不可得而疏；不可得而利，不可得而害；不可得而贵，不可得而贱；故为天下贵。

[意译]

真正的智者不会乱说话，也不会多说话，话很多、喜欢乱说话的人，必定不是智者。要学会拒绝来自感官的诱惑，甚至要关闭感官之门，减少干扰。还要挫平锐气，跟身边人保持和谐一致，不要突显自己，这样自然不会有纷争，这就达到道的境界了，这样就不会有亲疏、得失、贵贱之分。如果能做到这些，就是天下最高贵的人。

[导读]

喃喃自语的老人息了声音，他独坐月下，眯眼望着夜空。我也模糊了时间，不知这画面到底发生在哪个年代——是那个战火纷飞的年代，还是同样欲望横流的现代？似乎，世界一直喧嚣着，只是喧嚣的内容不同。他也一直静静地坐着，任时光之河卷走欲望的泡沫，不去拒绝，也不去挽留。仿佛，他早忘了时间，忘了空间，甚至忘了生死。

那些让人痛心的景象，他当然也能见到，但他无嗔无怒，甚至没有无奈和遗憾。他只是在该说话的时候说话，因为他知道何时会出现一个知音，那人会用自己的笔，将他的话语传播出去，传向山谷之外的世界。

然而，这山谷，又何尝不是世界呢？它也在生生不息着。无数个声音在静寂中发出大声，却又在喧嚣的同时陷入沉寂。一切都在生的同时走向消亡。只有这白头发的老人，静静地坐在时空之外。

他的安静，让整个山谷都沉寂了。鸟儿挥舞翅膀的声音，就像雷声一样大，却又在刹那间消失。空中就像有一张巨大的嘴，它吞噬了一切的声音，一切的变化，一切的景象，还有无数个你和我。留下的，只是一些闪着光的灵魂。就像这个老人，他沉静如钟，一语不发，偶尔说出的话，却总像一串串闷雷，能撕裂喧嚣的天空，让纯净的阳光洒遍大地。但这巨响不能时发，免得被当成噪音惊扰世人。

瞧，这个时代喜欢耀眼的明星，但一颗颗伪星都陨落了，只有你、你们，还在时光的尽头微笑着。

你们的笑容，在日月的更替中闪着光，人们名之为永恒。

说真的，这真是个令人汗颜的时刻。

在古老的智者和他的智慧面前，我们突然现出了原形——聒噪不已的群盲和自以为是者。

这个刷存在感的世界，很少有人会注意到角落里那个静默的人，我们的眼球早已被喧嚣夺走。

我不知道，五千言的《老子》，若是让现代人去写，表达同样的意思，会不会写出五千万言。

我也不确定，像老子这样的智者，若是来到现代社会，我们有没有一双慧眼，将他辨认出来。

他常常沉默不言，若你不问，他便是那一口静默的大钟。他也没有什么鲜明的个性，从不嚷嚷主张什么反对什么。他外表寻常，混迹于人群，有心人才能从那质朴中嗅到一丝智慧的气息。他对每个人都是一样的态度，不攀附权贵，也不疏远贫贱，没有谁能够用利害得失去牵动他。

唉，老子，我真有点替你担心呢。

[诗说]

说罢那老人低首不语，

静若处子凝若渊岳，

他像那口大钟不叩不响，

一叩则发出惊天的轰鸣。

但这巨响不能时发，

免得成为噪音惊扰世人。

真正的智者惜语如金，

夸夸其谈者并无真知。

满瓶水不响半瓶水咣当，

这句俗语说得无比形象。

三寸漏管要是没有塞子，

天下的粮食都会被漏光。

百石之仓要是无漏，

千石之粮便会满溢。

人的欲望要学会节制，

贪得无厌会欲壑难平。

因此要关闭诸窍之门，
堵住欲望之毒的来路。
磨去坚硬的锋芒来应世，
给相遇者一份好心情。

我们要善于排解纠纷，
掩蔽我们刺目的光明，
看上去跟红尘诸物一样，
这才是真正的智者行径。

我们要远离分别和功利，
不能因为得到就去亲近，
不能因为失去就要疏远；
不能为了获得才帮助，
不能因为无利就损害；
不能为了获利而尊重，
不能因为无用而轻视。
当我们远离了亲疏利害，
就会得到天下人的敬仰。

你看那婴儿笑得多么灿烂，
但他不是为了博你的好感。
你就算举了金子对他摇晃，
也难以引起他的贪欲。
他的好恶是自然而为，
他已远离了人间的分别。

圣者之圣就是复归于婴儿，
心如月光般皎洁无瑕。
这时圣心已成为其本质，
德行是他生发的本能，
无论对谁他都会真诚，
不会有半点阿谀和谄媚。
只有那些个功利之徒，
才会蝇营狗苟看人下菜。
他们不明白诸相易逝，
一切的追逐都没有意义。

圣人像太阳照耀万物，
从不去分辨香花毒草。
即使你满身都是污垢，

大地还是会让你有所收获。

天道地德是一种本能，

圣人的道德也是如此。

正如阴中有阳阳中有阴，

万物总是奇妙地统一。

那大德总是含着道妙，

大道也总能体现德行。

那大道大德总能转化，

依道行事定然能成功。

57．治身如治国

[原文]

以正治国，以奇用兵，以无事取天下。吾何以知其然哉。以此：天下多忌讳，而民弥贫；人多利器，国家滋昏；人多伎巧，奇物滋起；法令滋彰，盗贼多有。故圣人云："我无为，而民自化；我好静，而民自正；我无事，而民自富；我无欲，而民自朴。"

[意译]

做事可以出其不意，但治理国家的方式一定要正，不要折腾天下，才能赢得天下的信任，让天下太平。我为什么会懂得这些道理呢？因为我发现，禁令越多，老百姓就会越贫穷；老百姓手中的武器越多，国家就会越混乱；老百姓一旦有了投机之心，总想走捷径，各种奇怪的东西就会出现；法令法律越是森严，犯法的人就会越多。所以贤能的统治者说："我不用刻意做什么，老百姓就会教育好自己；我只要静静地待着，老百姓就会调整好自己；我只要不折腾老百姓，老百姓就会自己找到致富之路，生活也会过得越来越好；我只要没有欲望，不提倡功利之风，老百姓就会质朴地活着。"

[导读]

那老人又在强调"正"了，月下，他的白胡子泛着清光，一下下随风摆动。他的声音像是洪钟，撞击着那些昏昧的心灵。

他说，合乎自然的，就是最和谐的，人为痕迹越重的，就越是远离人类真正需要的。你看，那么多中药，有些适合治热病，有些适合治凉病，要是怕药性相冲，还有甘草可以调和诸药。所以，很多东西，大自然都已经备好了，人需要的就是顺应自然，顺应大道，这既是真正的进步，也是真正的养生。

人类科技的进步，要是能多向大道取经，多考虑如何调和阴阳，如何让四大和谐，或许比发明很多远离自然的东西更重要。而奇技淫巧之所以不值得提倡，是因为它会加重人的投机思想，让人为了欲望而用尽全力；治国之所以不宜过多地筹谋，是因为它会让百姓远离淳朴，变得功利算计。所以，顺应百姓，以民生为首位者，国家便能长治久安；提倡大格局非功利的文化者，民风便能淳朴自然。所谓的气象，便是自身秉承的文化所营造的氛围。

那么，什么是正？什么是奇？

天然的合道的就是正，刻意的人为的就是奇。

你发现没有？大道自然生出来的东西，都有它自然而然的规律，而人靠着自己的技巧弄出来的东西，总会出一些你想不到的幺蛾子。以大道为制度治理天下，人人都能各安其位，而人绞尽脑汁设计出来的制度，总是按下葫芦浮起瓢，状况不断。就好比，你织的网越大，漏洞就越多；建的墙越多，翻墙的人也越多。你越是提醒人别干什么，他就越会干什么——原本他还不知道，是你引导了他。

人用自己的那点技巧，不停地叠床架屋，自己给自己找麻烦，自己折腾自己，真是让人哭笑不得。

给你讲个故事吧。一个人总担心自己的自行车被人偷走，于是他给车上了十把锁，心想看谁还能偷得走。一会儿，他去骑车时，发现车上多了一把锁，还有张纸条：再给你加把锁，我偷不走你也骑不走，我麻烦你也麻烦！

人就是这样，一点也不想歇一歇。

[诗说]

治理国家要正大光明，

大道至正远离阴谋诡计。

只有在用兵时才出奇制胜，

兵不厌诈不能成为常态。

治理天下要清静无为，

别老是瞎折腾乱世扰民。

你看哪个朝廷忌讳越多，

老百姓就会越加贫苦。

这也不让干那也不敢干，

就会伤害百姓的创造力。

当民间有了太多的利器，

国家就会陷于混乱。

当人们追求奇技淫巧，

各种奇怪的东西就会横行。

当法律过于森严复杂，

就会滋生猛于虎的苛政。

要是民不聊生水深火热，
就会盗贼四起天下大乱。

如果实行了连坐之法，
无辜者受罚会招来仇恨。
如果轻率地伤害功臣，
就会导致功臣的反叛。
如果重用了刀笔讼师，
国家就会官司不断。
如果像行兵布阵那样办事，
就会好大喜功劳民伤财。

统治者要是无为而治，
百姓自然顺化有序；
统治者要是喜好清净，
百姓自然端正朴素；
统治者不随性滋生事端，
老百姓自然安宁富足；
统治者没有太强的物欲，
老百姓自然知足淳朴。
这时候天下自然太平，

无须纷繁复杂的设计。

圣人治世要像那大海，
无为中自有百川汇入，
低下如谷才能成其广大，
不争无为才能成其长久。

58．在祸福转换背后

[原文]

其政闷闷，其民淳淳；其政察察，其民缺缺。祸兮，福之所倚；福兮，祸之所伏。孰知其极？其无正也。正复为奇，善复为妖。人之迷，其日固久。是以圣人方而不割，廉而不刿，直而不肆，光而不耀。

[意译]

要用无为的方式治理国家，老百姓才更容易被教化，民风也会非常淳朴；如果为政苛刻严厉，老百姓就会抵触反感，不可能形成很好的民风。福祸看似独立其实相连，表面看来的祸，却是福的依托；表面看来是福，其实祸的种子早已经种下。奇正善恶总在相互转化，谁知道终点在哪里？谁都不知道，因为它们本就无法说清。心一善，祸便可转为福；心一恶，福便会转为祸。人们执迷不悟已经很久了，世世代代的人类总像蒙住了眼睛，看不见变化。所以，圣人虽然正直有原则，却从不偏激苛刻，从不肆意妄为，也从不锋芒毕露。

[导读]

人生就像一个钟摆，它左右晃荡从不固定——

左边是福，右边是祸；

左边是苦，右边是乐；

左边是盛，右边是衰；

左边是生，右边是亡……

总是这一刻还沉浸在幸福里，盘算着接下来有怎样的甜蜜，祸事就在下一秒来临，就像惊天的雷声炸响在梦里；

总是这一刻还沉浸在悲痛中，感怀身世顾影自怜，可违缘已快消散，乌云已被大风吹开，灿烂的阳光已在路上；

总是这一刻还在感叹他人的悲剧，觉得别人的命怎么如此苦，自己的命运其实已亮起了红灯，苦难在顷刻间就要降临……

还有那些盛极而衰的，那些置之死地而后生的，那些在成败得失间变化着心情指数的，如此等等，都是钟摆的运作。可重复了那么多次，人们却还是没有察觉。无数的人，都像活在套中——命运的圈套，愚痴的圈套，情绪的圈套，执着的圈套。一个个套索，套住了挣扎不休的灵魂。等到那挣扎渐渐息了，命运就成了一个定数。有一种火苗便渐渐地暗淡了。

圣人却早已看透了钟摆的游戏，知道那两端都不是他的去处。他的人生钟摆虽仍在摆动，他的心却定在了钟摆之外，就像半空中的眼睛，淡淡地望着那一下下的摆动，心里再也不生涟漪。而外相上的他，也只是平平淡淡地走在中道上，喃喃地唱着那首光明之歌——

[诗说]

我看到一个叫桃花源的所在，
不知有汉无论魏晋，
我们看不到谁是统治者，
百姓却安居乐业其乐融融。

再看那个叫文景之治的时代，
为政者清静无为，
看起来似乎无所作为，
但天下的气象一片祥和，
百姓的生活也安稳富足。

是故为政者崇尚休养生息，

老百姓就会敦厚朴素，

不需要过于严苛的政策，

老百姓自然会自我约束。

我又看到了那个叫暴秦的帝国，

当为政者雄才大略十分精明，

看似明察秋毫积极有为，

反而过于扰民民不聊生。

老百姓纷纷逃离暴秦的统治，

宁愿跟吃人的猛虎为伍，

也不愿生活在苛政之下。

地广民众不一定强大，

兵利甲坚不一定胜利，

池深城高不一定坚固，

刑法严苛不一定立威，

国家存亡不关乎大小，

而在于百姓是否拥戴。

善于为政者以积德为主，

民心向背是为政的关键。
善于用兵者积蓄愤怒，
同仇敌忾会增加威势。

那些看似是祸的事件，
其实随带着幸福吉祥。
那些看似是福的事物，
其实往往埋藏着祸根。
当知道祸与福本是同门，
那利与害也是孪生兄弟。
将死之人必贪求美食，
将亡之君必拒谏嗜欲。

德少而宠多者总是遭讥，
低能而高位者必然危险，
志大而才疏者命运坎坷，
功薄而禄厚者终究受辱。
世上事物总是在变化，
有大增益者反而受损，
有大损失者反而得福。
俗人眼中的诸多病害，

圣人看来是升华的契机。

你看那些高大的树木，
正在招来可怕的斧锯。
你看那大富大贵之家，
灾祸正在悄然而至。
圣人能知诸障后的福报，
于冥冥之外便虑及祸患。
小人总只看到蝇头小利，
而忘了小利后面的隐患。

小人做事总是想到利益，
君子做事总是主持正义。
为善者不求名而得大名，
布施者不求利而得大利。
我们常常见到事与愿违，
利益的背后总是有灾难。
小人目光短浅着眼于利益，
圣人洞悉事物能成就不朽。

谁知道祸福如何转化？

那程序并无固定的格式，

看似正常往往忽生意外，

看似祥和却变得妖异险恶。

不变的永远是这变化，

迁延不居的动荡是人生常态，

它总是让人无所适从，

我们像漂在海中的落叶，

总不能把控生命的境遇。

我们只能做好自己，

来面对那不可控的人生。

我们要学习圣人的应世之法，

他们和光同尘，

他们与万物为旅。

他们人品方正外相却圆融，

总能让世界如沐春风。

他们看似有不流俗的品格，

却从不伤害有缘的人们。

他们看似率真如婴儿，

却从不轻佻从不放肆，

他们的智慧光明能照亮世界，

却毫不刺目温润如玉。

君子不立于危墙之下，

不轻易浪费自己性命。

君子崇尚舍生取义，

乐天知命而不改其志。

若是遇到清明的社会，

君子用正义来保护生命。

若是遇到动荡的乱世，

君子用生命来守护正义。

君子常为善未必得福，

君子不作恶未必免祸。

君子随顺时机相机而动，

事遂功成而不沾沾自喜。

若生不逢时就守之以礼，

隐姓埋名也无所谓不幸。

安贫乐道是君子本分，

富而不淫是君子节操。

59．做人贵在知度

[原文]

治人事天，莫若啬。夫唯啬，是谓早服；早服谓之重积德；重积德则无不克；无不克则莫知其极；莫知其极，可以有国；有国之母，可以长久。是谓深根固柢，长生久视之道。

[意译]

治理天下，敬拜上天，再也没有比惜福更重要的事了。唯有珍惜、节俭，才能早做准备。早做准备就是要先修德，为自己打好人格基础。只要注重德行，就没什么不能承载和胜任；没有不能承载和胜任的事，就能有无穷无尽的力量；有无尽的力量，就有了国家存在的根本；国家有了根本，才能长治久安，这时，国家的根基就非常稳固了，国运也会很长。

[导读]

这次我们一下子有了两个榜样，他们的名称中有相同的一个字，却给人以完全不同的感觉。

啬鬼和啬夫（农夫）。

这是多么不一样的两种人呀，一个小气得不得了，给自己、给别人都绝不会多花一个子儿；另一个辛勤劳作，耕种有时。

一语双关的智者，要我们学习啬鬼的舍不得。像啬鬼那样爱惜我们的精气，涵养生命。啬鬼即使家里堆满了钱，也会小心翼翼，不让钱漏出去。人们养护身心，也得有这股子啬劲儿才行啊！看看哪里在消耗精神，能关上的缺口全都关上。

我们还要学习啬夫，他从来不违农时，每个时段要做什么，总是心中有数，更要紧的是他早早地就做好了准备。播种时播种，浇水时浇水，锄草时锄草，施肥时施肥，收获时收获。他从不揠苗助长，也不妄下功夫，他每一步都踩在自然时令的正确节点上。治理天下和侍弄庄稼，是一个道理嘛！

老人顿了一下，然后，在跳动的光影中，他的歌声再一次响起——

[诗说]

无论做事还是养生，

都要学会惜福不要放纵。

正是因为学会了惜福，

才能早做准备凡事预则立，

这也是一种资粮和基础，

兵马未动粮草要先行。

做事先要学会做人，

做人先要学会积德，

德行深重才能无往而不利，

厚德载物才有无尽的大力。

厚德力大才可以治理国家，

也可以打造其他的团队。

有了治理的原则和根本，

国家才可以长久维持。

根深才能叶茂，

蒂固才有收获，

做事要符合大道规律，

才能长盛不衰长治久安。

做人和养生也要如此，
要恬淡虚无保守精气，
有节制地生活养护身心，
顺应自然得享天年。

凡事要以德行为先，
打好基础才是做人之本，
要珍惜已经拥有的一切，
更积蓄资粮厚藏根基，
为人不张扬惜福惜缘，
清净无为中厚德务实。

节俭惜福是做人的根本，
细水长流要留有余地。
做人要在厚积中薄发，
用无为的心态享受人生。

你不见那些最强大的动物，
只剩下骨骼充当标本。
那些看似极弱的物种，

倒有跟天地一样的寿命。
因为它们不需要太多的条件，
就能绵绵不绝得以生存。

生存的附加条件一多，
反倒不能长久容易短命夭折，
圣人也明白这个道理，
所以总提倡清净无为。

人之养生重在养心，
心安则顺，心乱则逆，
心安于道就会外显于德，
积德丰厚自然有福荫。

得到一支万人的军队，
不如得到一条安邦的良策；
得到价值连城的和氏之璧，
不如明白万象的原由。

能成事者一定是胜者，
能胜人者一定很强大；

要想强大一定要用人才，

想用人才必须先得人心；

想得人心者必须远离暴力，

是故圣人崇尚柔弱。

60.治国如烹小鲜

[原文]

治大国，若烹小鲜。以道莅天下，其鬼不神。非其鬼不神，其神不伤人。非其神不伤人，圣人亦不伤人。夫两不相伤，故德交归焉。

[意译]

治理国家就像烹煎小鱼，不能折腾。用道来治理天下时，鬼神就不会作乱伤人。不是说鬼没有神力，是它的神力不会用来伤人，圣人也不伤人。因为两者都不伤人，德行达到平衡和谐，回归大道，于是就能和平相处。

[导读]

一个不想当宰相的厨子，不是个好厨子。这是商汤的名相伊尹的故事。他是从奴隶逆袭为宰相的神奇人物，他的神奇技能就是烹调。

他的锅里炖着天下大势，他的勺里掂量着为政之道，那火候，那力度，那五味的调配，不愧是经天纬地的名相。

商朝人不仅从烹调上学到了治理之道，他们还从鬼神的身上得到了力量。我不清楚，好鬼的商人，是真的得到了神秘的力量，还是一种心理作用。不管怎样，有一种敬畏总是好的。等到后来连鬼神都不敬的时候，他们果然也灭亡了。

真的是鬼神的力量吗？

伊尹的烹调里有鬼神吗？当然没有。他只是找到了烹调之道，它和治理之道是一致的。商人觉得鬼神相助的时候，也不过恰好是他们走在正道上的时候，最后背离大道，倒行逆施了，鬼神怎么可能也和道对着干呢？

一切都是道的作用而已。

[诗说]

　　　统治大国也要清静无为，

像在烹那些鲜嫩的小鱼，

需要文火慢热不要折腾，

顺应其性让其自然成熟。

要是时时翻炒折腾不已，

便会捣鼓成一堆烂肉。

做人和养生也要这样，

那一动一静要看时机，

做事有分寸不瞎折腾，

静观物变并及时调整。

圣人因时而安其位，

圣人明势而行事业。

如玩冰需选择冬天，

拧草结绳选择夏天，

嫁接树木要选择春天，

到秋天才会收获果实。

时令和机会总是易失，

当应时而动不要失机。

在地上铺以六尺草席，

要坐上去非常容易。

要是将它悬于屋梁，

想跨过去就非常艰难。

两者所处的态势不同，

于是有了难易之分。

圣人总是端正自己的品德，

守定本分以待天时，

凤翱翔于千仞兮非梧不栖，

士伏处于一方兮非主不依，

时机一到不可迎而复返，

时机一失不可流连攀缘。

知心之哀乐为德之邪祟，

喜怒好恶是心的负累，

知万物之生是天道运行，

明万物之死是自然物化。

圣人之静与阴合行，

圣人之动与阳相携，

七情安住守定中庸，

安享大道而不敢僭越。

圣人明规律以无应有，

圣人知关键以虚受实。

他恬淡虚静享受生命，

无亲疏贵贱和合万物。

与道为侣与德为邻，

不勉强避祸，

不勉强求福。

当我们拥有了道心修养，

大心朗然能调伏鬼神，

鬼神代表着神秘能量，

它是来自大道的营养。

当我们心合大道的时候，

就能与万物一体天人合一，

这时才能与自然和谐相处，

无我无彼中浑然一味。

你就是大道大道即是你，

同体大悲不会彼此伤害。

万物一体同根不再有分别，

在德行相融中一团和气。

61. 强者和弱者都须谦逊

[原文]

大国者下流，天下之交，天下之牝。牝常以静胜牡，以静为下。故大国以下小国，则取小国；小国以下大国，则取大国。故或下以取，或下而取。大国不过欲兼畜人，小国不过欲入事人。夫两者各得其所欲，故大者宜为下。

[意译]

大国要处于天下的雌柔之位，像江河的下游那样，使天下百川汇聚于此。雌柔常以安静守定胜过雄强，甘愿安静守下。大国对小国谦让，就会得到小国的拥戴；小国对大国恭敬忍让，就会被大国宽容对待。所以，要以谦下的态度来获取，或以谦下的态度被接纳。大国不过是想驯服小国，小国不过是想依附大国。两者各得其所，便能相安无事。其中，大国对小国的谦让和包容是关键。

[导读]

当你抬头仰望星空时，是否曾经产生过震撼和赞佩的感觉？我有。宇宙中有无数的星星，它们大的极大，小的相对极小，而无论大小，无论形状，它们都依循大道的法则，组成了星系，有条不紊地运行着。

就拿太阳系来说吧，无数行星都在围着太阳打转，包括我们视为整个世界的地球。从物理层面说，这是因为太阳的质量大，从象征意义上说，这是因为太阳散发着光和热，就像众星的依怙和能量来源一样——事实不也正是这样吗？不说别的，就说地球吧，要是没有太阳，地球上那么多的动植物如何生存？人类如何生存？但太阳从来没有说过什么，也没有向联合国收取过保护费，或照明费，更没有干涉过哪个行星的运行，没有吞噬过哪个行星。它的谦逊，它的付出，足以让无数行星心甘情愿地追随它，规规矩矩地在自己的轨道上运行，既不会想要挑战它，也不会去抢其他行星的轨道。

反观人类世界，国家的数量远远比不上行星的数量，但几千年来，人类世界却征战不休，直到这个和平已经成为主旋律的时代，人类世界上的战火也仍然没有熄灭。为什么人类不能学学星星，消停一下，各安其位呢？

你看，星星多可爱啊，它们在夜空中一闪一闪的，什么话也不说，就像舞台上的背景布一样，常常会让人忘掉它们。你也不知道它们有什么思想，有什么意识，在亿万年的生命中，它们有过怎样的故事。但它们都有大道的品质，都能做到谦逊包容，于是就构成了太阳系的博大和有序。

这就是效法自然的力量。

你听，那首歌中也是这样唱的——

[诗说]

> 处理国际关系亦当效法自然，
> 示弱和谦下要成为主流。
> 你看那天下河流交汇之处，
> 无不位于低洼的下游。
> 而那柔弱似水的母性，
> 也总能胜于阳刚的强权。
> 那些恰到好处的弱静，
> 更是总能胜过喧嚣的强动。
> 是故大国虽强也一定要示弱，

像处于下游的河海一般。
切记水低为海人低为王，
在韬光养晦中低调行事。

大国对小国谦下忍让，
就能取得小国的信任；
小国对大国谦弱忍让，
就能得到大国的保护。

但大国不要老想控制小国，
小国也不要过分依赖大国，
只有大国谦下忍让，
小国也独立自重，
大小国才能各取所需。

要知道大由小构成，
多由少积累，
圣人崇尚柔弱微妙，
见小故能成其博大。
圣人恪守俭啬之道，
见小故能成其众多。

天道损有余而补不足，

圣人故效法江河精神，

以自卑自谦守静处世，

甘居于下故能成其高。

太阳走到正午时，

就会迈向黄昏。

事物发展到鼎盛时，

就会走向衰落。

月盈则缺水满则溢，

故君子做事总会留有分寸，

让自己能退一步海阔天空。

聪明大智者要守愚笨，

多闻善辩者当守讷拙，

造福天下者也要谦让，

富贵广大者更要简朴。

明大道者最忌太满，

不要再造成新的弊端。

圣人总以含蓄自守，

也会敞开胸怀拥抱阳光。

为人处事在乎外界，

亦注重精神的内守。

精泄于外者其内必伤，

君子会注重内外兼修。

自身只要摆对位置，

则万物皆是他的伴侣。

当心与大道合一之时，

无所喜无所怒相融如一，

无所乐无所苦无物可累。

无须敛财就可以富有，

无须努力就可以强大，

不再在乎世间的名誉，

不以贵为安向往权势，

不以贱为危惧怕贫困，

形神气志已各居其宜，

再无半点焦虑和不安。

静时可以充盈志气，

神志内守可以健体。

故圣人以静持养其精神，

以冲和弱其志气，

就好似那一片落叶，

在道之大海中沉沉浮浮。

所谓冲和便是淡泊平和，

不事争斗和诸多计较，

让谦下成为做人之底线，

宽容对待比自己弱的人，

恃强欺弱不是仁者所为，

要像母亲那样有柔弱之心。

无论儿子有如何的行为，

母亲总能在爱心中包容。

当我们有了母爱之心，

才会得到众人的爱戴。

62．有道万事足

[原文]

道者，万物之奥，善人之宝，不善人之所保。美言可以市，尊行可以加人。人之不善，何弃之有？故立天子，置三公，虽有拱璧以先驷马，不如坐进此道。古之所以贵此道者何？不曰：求以得，有罪以免邪？故为天下贵。

[意译]

道是万物的奥秘总枢，是万物的本源。善人视之为宝，不善人其实也得到了它的保护和化育。美好的言辞更益于交往，令人尊重的行为会让别人愿意支持你。但对于不善之人，道难道会弃之不顾吗？所以，就算被立为天子，或奉为三公，大璧宝玉在前，驷马随后，尽享世间的荣华富贵，也不如修道那么尊贵。古人为什么重道呢？不就是因为求道者可以得道、免罪吗？所以，道是天下重宝。

[导读]

明白道是重宝的人，都是有眼光的；不仅明白道的好，还能去求道，更是非常难得。

世人都以为求道是闲着没事干的人才会做的事，像那些身负重任的人，哪里有闲心和闲工夫求道呢！天子忙着管理，三公忙着实施，学者们忙着讲课，至于道，究竟是什么样的宝贝啊？能治理天下？能教化民众？

先不说这么宏大的好处，就说说切身的利益吧，这样，还能引起世人的兴趣。当年，黄帝向广成子求道时，一张口就拿治理天下说事，说为了天下来求道。广成子可没跟黄帝客套，一把揭穿了他：你就直接说是来求长生的呗，装啥？黄帝嘿嘿嘿笑了，这才认认真真地进入了求道的程序。

再说说那万世师表孔老夫子，他当年曾向老子求道。老夫子挺老实，没拿教化天下来说事，直接坦白了，说自己还没有得道，就是以学习者的心态，来请教老子的。

他们虽然是为了自己求道，但却利益了天下。一位得道的天子，对待百姓，就能像道那样对待万物，生养之，而不占有之，且谦下包容。一位得道的师者，就能像道影响万物那样，影响学生；也像道值得万物效法那样，值得众人效法。

天底下，还有什么比道更珍贵的宝呢！

[诗说]

当我们拥有了一颗道心，

当我们洞悉了大道的真谛，

当我们明白了万物的奥秘，

就会明白大道的尊贵，

那真是世上最美的珍奇。

善良者需要尊道贵德，

不善的人也应该学习并珍惜。

美丽的言辞更益于交往，

令人尊重的行为可以赢得朋友。

要是你还不是真正的圣贤，

更要虔心向道亲近自然。

瞧那些天子即位的时候，

总会有献玉献马的仪式，

为啥不给他们献上大道，

让他们道行天下敬天爱人？

大道可庇护所有的人，

也可润泽世上的万物。

即使有人犯了大罪，

大道也对他们不离不弃。

道心真是广阔到极致，

能宽恕包容万事万物。

正是因为道行天下泽及万物，

才成为世间无上的珍奇。

63．光明在积累中增长

[原文]

为无为，事无事，味无味。大小多少，报怨以德。图难于其易，为大于其细，天下难事，必作于易，天下大事，必作于细。是以圣人终不为大，故能成其大。夫轻诺必寡信，多易必多难，是以圣人犹难之，故终无难矣。

[意译]

要以无为之心去做事，以无为之心去处事，以无为之心去品尝。大源于小，多始于少，以厚德来回报怨恨。处理困难的事情，要从容易处下手，做大事也要从细微处下手，因为天下难事一定是由简易之事所积累的，天下大事也是一个个细节所构成的。因此，圣人虽有目标和方向，却从不好高骛远、好大喜功，故而能成就大事业。轻率许诺，诺言很少会兑现，因为一开始把事情看得太容易，不懂得谨慎对待，后来就必然会遭遇很多困难。所以，圣人总会以谨慎危惕之心去处事，把每件事都做得没有后患，最后就不会遇到危难。

[导读]

时下最流行各种各样的成功学，望着书店里琳琅满目的成功励志书籍，我只能轻轻一笑。我不敢说，这些书籍的作者都是拾人牙慧，毕竟老子两千多年前就说过了嘛。但至少很多他们自认为是自己发现的成功学智慧，真的并没有超越老子。

有文有真相。

论范畴，老子的成功学既能教人如何做事，又能教人如何做人；

论层次，老子的成功学可是教帝王治理天下的，遑论管理一家企业和单位？

论高度，老子的成功学是以大道为基石的，这个起点，现在那些成功学哪个比得上？

至于我们耳熟能详的那些金句，比如"细节决定成败""每天进步一点点"之类，老子早就说过啦，说得比这还好。

何必舍近求远？何必弃简就繁？

学如何成功，直接找老子好了。

[诗说]

　　　　圣人以和谐养生，

　　　　以节制性情持身。

　　　　圣人求温饱不事奢华，

　　　　润万物毫不利己。

　　　　我们要向圣人学习，

　　　　扫去贪欲、自私和功利，

　　　　守住宽坦无欲的境界，

　　　　一天天安养质朴真心。

　　　　我们还要用无为心做事，

　　　　积极有为却不执着结果；

　　　　更要以无事心做人，

　　　　享受做事过程而远离功利。

　　　　当然还要做好选择，

　　　　不能像苍蝇般盲目乱撞。

帮助别人做祭祀之礼，

就可以享受美味祭物。

帮别人去打架斗殴，

就可能会受到伤害。

君子助善无损有益，

助恶则会引火烧身。

若依附高处的不祥之木，

就容易被雷霆所殛。

若攀附无德的权臣，

就容易招来杀身之祸。

我们要品尝无味之大美，

不去管大小多少的分别。

要用善德回应他人的怨恨，

有一颗朗然无私的公心。

天下的大事看上去难做，

其实都是由小易积累而成，

天下之大德看似高不可攀，

其行履其实不离细行。

那诸多奇迹看上去难如登天，
其实是生活方式的累积。
你看那巍峨的泰山五岳，
其实不过是土石所堆。
那滚滚滔滔的万里江河，
其实也不过是细流融合。
圣人之伟大在于日常积累，
在点点滴滴中成就伟业。

有些人总是轻易地许诺，
到头来往往会失去信誉。
有些人看问题总认为太易，
到头来必然陷入困境。

圣人做事如履薄冰，
到头来反而没有难事。
狮子斗大象须全力一搏，
追逐小兔子也会用全力。

圣人做事谨慎是一种品质，
专注投入是一种本能。

虽然他们远离了私欲功利，

却仍然会全身心地投入努力。

圣人做事尽力不是为了控制，

只是一种应事的态度。

要有清净无为的心态，

更要有不择细流的行履。

着力于细微着力于小事，

积水成渊积善成德，

享受波息浪止的恬淡风光，

在无所事事中处理事务。

用对待大事的心态处理小事，

用对待复杂的态度处理简单。

心中无事却不舍小事，

就能在无为中成就大事。

64. 畏因不畏果

[原文]

其安易持，其未兆易谋；其脆易泮，其微易散。为之于未有，治之于未乱。合抱之木，生于毫末；九层之台，起于累土；千里之行，始于足下。为者败之，执者失之。是以圣人无为故无败，无执故无失。民之从事，常于几成而败之。慎终如始，则无败事。是以圣人欲不欲，不贵难得之货，学不学，复众人之所过，以辅万物之自然而不敢为。

[意译]

任何事情，都是安定或未乱时最容易掌控；脆弱的东西容易消失，细小的东西容易消散，所以做事要懂得未雨绸缪，防微杜渐。在发生前处理、未乱时整治，就不会陷入危难。合抱的大树最初只是嫩芽，九层高台也起于土基，无论多远的路，都要一步步前行才能到达。有所作为必然会招致失败，有所执着必然会遭受损害。因此，圣人无为故无败，无执故无损害。老百姓做事时，总会在快成功的时候失败，所以要一如既往地小心谨慎，不要放弃，这样才能成功。圣人追求世人都不追求的大道，不去贪婪世人都想要的珍宝，也不去学世人都在乎的功利之术，只学那些有益于道德的营养，只会遵循万物的自然本性去帮助万物，以春雨润物的方式帮助世人弥补过失，让他们回归质朴，却不去强行地干预或控制。

[导读]

　　人们总以为圣人是远离尘世、餐风吸露的，他们把手操在袖子里，啥也不管啥也不问。圣人确实可以这么做，但圣人也能入世，把世间的事情做好。

　　普通人做不好事情，或者容易失败，自然有做不好或失败的理由。但他们自己没有智慧，不明白为什么做不好或者失败了。

　　只有圣人，他站在大道的高度，将一切事物的因果和来龙去脉，都看得清清楚楚。哪个环节会出问题，什么时候是关键节点，要注意防范些什么，圣人全都了然于心。

　　这就像是玩游戏一样，普通玩家不知道每一关会出现什么，也不知道取胜的游戏规则，但高级玩家，几乎等同于游戏开发者，一切规则尽在掌握之中。得道的圣人不就是掌握游戏规则的高级玩家么？一般他们不参与游戏，如果参与的话，那一定是玩得最好的。

　　别忘了还有重要的一点，世间游戏中总会设置很多诱惑和陷阱，普通玩家总有自己的弱点和心头好，一不小心就执着了，就深陷了。但圣人不会，他连游戏都未必想玩，怎么会在乎里面的诱惑呢！

　　学习圣人的做事方法，不如学习圣人智慧背后的大道啊。

[诗说]

　　　　事物在安宁的时候，
　　　　总能为我所用。
　　　　事情在没有成形时，
　　　　也更容易从容谋划。
　　　　万象在幼小时容易破碎，
　　　　事物在细微时也容易改变。

　　　　我们要洞悉事物的规律，

在没有发生时便胸有成竹，

万象在未乱时能把控局面，

凡事预则立不预则废。

你看那些参天的大树，

都是由小树苗长成。

那直上天空的巨台，

修建时也是从小土堆开始。

登上那高达百仞之峰，

同样要从足下起步。

要是星星之火已经燎原，

你想扑灭它就不容易。

要是涓涓细流已汇成江河，

你想阻断它就会泛滥成灾。

要是小树苗已成参天大树，

拔出它就需要九牛之力。

等事情发展到不可收拾，

你就会一败涂地。

所以圣人以无为顺乎自然，
在事物的萌芽阶段采取行动，
在事物没强大前进行操控，
才不会有失败的忧虑。

圣人做事时由内而外，
有大愿景而积极主动，
以终为始而付诸行为，
知彼知己而实现多赢。
善于沟通而统合综效，
不断创新且自我提升。

一般的百姓做事，
常常会功败垂成，
如果守住初心严谨始终，
失败的概率就会很低。

圣人只关心大家忽略之事，
他不关注流行的词语，
他总是去研究问题和漏洞，
以保证万物的自然运行。

他不会强制地改变规律，

也不想干预万物的运作。

他慎终若始多有预见，

不玩手段不布局操控，

不搞阴谋不干预自然，

世间的一切都在自动运行，

万物都有运动的本能，

不需要有人勉强而为。

体悟大道必须严守四条：

不尸位素餐空占名位，

不为私敛财贪得无厌，

不任性做事不懂进退，

不对百姓要阴谋诡计。

依道行政要顺应天时，

有动有果与时俱进，

善处下而不高高在上，

有广博的胸怀热爱百姓。

明进退先要避开祸患，
施惠厚实而消去积怨，
要善于用人故无弃人，
要和而不同海纳百川。

要珍惜生命相机应世，
了知本初的天命反求诸己，
息战安民以柔胜刚，
以虚静之心应对成败。

安民是统治的根本，
只有不夺时才会足用，
省事节用远离骄奢，
以虚静之心面对万民。

善治国者少变以往法则，
不轻易更换公认的常规。
他能在旧有的树根之上，
再长出与时俱进的新枝。
要挫平自己的凶锐锋芒，
和光同尘以解纷结之心。

65．以静治身，以素治民

[原文]

古之善为道者，非以明民，将以愚之。民之难治，以其智多。故以智治国，国之贼；不以智治国，国之福。知此两者，亦稽式。常知稽式，是谓玄德。玄德深矣，远矣，与物反矣，然后乃至大顺。

[意译]

古代善于为道的人，都不会教导人民智巧伪诈，而会让人民保持淳朴敦厚。统治者之所以觉得百姓难以统治，是因为他们自己机心太多，总是用自作聪明来折腾百姓。所以，用机心治国者必然危害国家，以无为之心来治国者，才是国家的福星。明白这一法则，并且能牢记于心，就叫玄德。玄德深奥广远，具有玄德的人敦厚质朴，心地已回归大道，因此能顺其自然，实现天下大治。

[导读]

智者常常会被人误解，因为他的大道智慧普通人难以企及。老子不过是说了几句话，就被人误会说他要实行愚民之道。

这些人看来非常讨厌被愚弄，一点也不想当愚人，可也是他们，在每一个愚人节的时候，开开心心地要当愚人，或者让别人当愚人。

我倒是很愿意当老子所说的那种愚人。

浑然天成，真诚在内，拙朴在外，毫无机心，也没有鸡零狗碎。

如果你身边的朋友是这样的人，你不开心吗？如果大家都是这样的人，大家不开心吗？

可老子批判的那类统治者不开心，因为他不想当这样的愚人。他总觉得自己有很多的聪明，总想去施展他的聪明，还要让天下人都知道他很聪明，并且敬仰他的聪明，臣服于他的聪明。

可惜，聪明人不是他一个。

所以，总有一些聪明人，不让他如愿。

于是，他们虽然身份地位不同，却很平等地比赛起聪明来，斗智斗勇，斗得不亦乐乎。

　　天下，就是这样被一帮聪明人给搞乱的。

　　[诗说]

　　　　　　我常见那些上古的智者，

　　　　　　他们的时代相对安宁，

　　　　　　他们不是教百姓变得聪明，

　　　　　　而是让百姓敦厚淳朴。

　　　　　　君子静以修身不去扰民，

　　　　　　俭以养德而民不生怨，

　　　　　　政乱则没有贤者辅佐，

　　　　　　德薄则没有勇者卫国。

　　　　　　要是民多诡诈机关算尽，

　　　　　　社会就会混乱难以治理，

　　　　　　倡导谋略治国是国之大贼，

　　　　　　不以巧智治国才是国家之福。

　　　　　　以权威知见治国会伤害国家，

不依靠权威才是国家之福。
要安住于大道建立规则，
形成自动运行的机制。
这本是道与术的关系，
过分重术会损害道体。

懂得体道与重术的分寸，
才能体现道的玄妙幽深，
才能用于诸方而不离道体。
才能无往而不利。

故圣人有而若无归于素朴，
治其内不治其外安心于素。
体察道体以游天地之根，
茫茫然游荡于红尘之外，
逍遥于无为之业，
远离巧智而抱朴守素。

圣人审视万物不为物牵，
明悉事物变化而安住根本。
心意内守淡然于祸福，

自由逍遥不知当何往。

不学而知事物之妙，

不看而见万物真相，

不做而成就事业，

有感而应随缘而动，

如日照耀如影随形，

遵循大道待时而为，

空寂虚心清净做事，

立于至精至明之中，

守着至朴至素之心。

朴素之心虚静自然，

不为福先不以祸终。

俭以养生不求奢华，

守定平常心做平常之事。

那些灭国的昏君则不然，

一旦拥有天下的财富，

就会竭尽全国之力，

以供奉一己之耳目。

致使朱门的酒肉已臭，

路上有冻死之骨。

是故淡泊名利才能明德，
宁静心志才能目光高远，
宽大包容才能泽及万民，
公平正直才能正确决断。

要以百姓的眼睛去看，
要用百姓的耳朵去听，
要用百姓的心去思虑，
才能靠百姓之力建设。
贤者才会尽其所能，
愚者才会尽其所力，
本国的百姓才会各安其性，
远方的百姓才会感怀其德。

实事求是地处理是非，
不以贵贱尊卑为标准。
富贵时不以奢靡伤身，
贫贱时不为谋利累形。

治大国不用狭小的计谋，
治大众不用狭隘的制度，
权重位高不可烦劳百姓，
法律过于苛刻难以责众。

若是只通于一技之长，
若是只审于一事之明，
若是只限于一种可能，
都会因狭隘影响见识。

鲸鱼若失水为虫蚁所困，
人君若失势受臣民所欺，
只有群策群力各司其职，
才能成就不朽的功业。

若是事必躬亲越俎代庖，
其智必穷会失去威信，
因忙于应付而毁坏制度，
因赏罚不明而上下异心。

不与马竞走不与牛角力，

不强当工匠不亲自驾车，

有道的明君安坐于车上，

在众贤辅佐下无为而治。

善锁门户者不能治国，

固守成见者不能成事。

当出神入化无执无舍，

不投机取巧归于素朴。

粮食是国之本百姓之天，

重农是坚实的立国之基，

只要民不缺口中之食，

四时不废则国能大安。

不竭泽而渔不焚林而猎，

不杀鸡取卵不与民争利，

自养有度取下有节，

与民同苦乐相融于和。

66.泥水中长出青莲

［原文］

江海之所以能为百谷王者，以其善下之，故能为百谷王。是以圣人欲上民，必以言下之；欲先民，必以身后之。是以圣人处上而民不重，处前而民不害。是以天下乐推而不厌。以其不争，故天下莫能与之争。

［意译］

江海之所以能成为百谷之王，统率百川，是因为它善于处下。所以，圣人要想领导人民，就必须在言辞上做到谦逊；要想引领人民，就要把自己的利益放在民众之后。做到这一点的君王，即使居于统治位置，也不会让人民觉得他高高在上；即使高瞻远瞩、先知先觉，也不会与民争利，让人民受到伤害。所以，天下人都会乐此不疲地推崇和拥戴他，而不厌烦其在上位。不与人争利的人，是没有敌人的。

[导读]

以老子的王者标准衡量，历史上的有道之君实在寥寥无几。

雄才大略的始皇帝，即便两千多年后仍被不少政治家推崇，可你要是问问那时候的人民幸福指数有多少，恐怕他们被压得喘不过气没法回答你，背负着秦始皇这样的人君，实在太沉重了。

再看雄霸天下的汉武帝，将欺负了大汉上百年的匈奴人都打跑了，不可谓不强悍。可他为了打仗，整日里盘算着，怎么从老百姓的兜里多掏钱，不管是富人、贫人，都是他争夺利益的对象。

还有那运气爆表，号称"十全老人"的乾隆帝，管了天下人的钱财、人身还不够，还要管天下人的脑袋里想什么。所有的读书人，不能比他更有才；所有的人，活着的，死了的，不能有他不允许的想法。

他们都高高在上，他们的聪明，他们的伟略，让人不堪重负；他们与民争利，与民争功，乃至争生存空间，如此辽阔的神州大地，却盛不下他们的不满欲求和凌人盛气。

　　可他们都是史书上被表扬的明君。老百姓既读不到《老子》，也没有话语权。

　　也许，只有在老子的话语被民众广泛传播的时代，圣人才会降临世间。

[诗说]

　　　　瞧那江海之所以能容百川，
　　　　是因为它们善于处下，
　　　　水低才成为百谷之王，
　　　　于汪洋浩瀚中成就事业。

　　　　圣人要想得到百姓尊崇，
　　　　也要学习江河能够处下。
　　　　当自己低至尘埃之中，
　　　　流下自己的汗水和泪水，
　　　　再从泥水中长养出青莲，
　　　　那一份清凉自会万民瞩目。
　　　　此时圣人便得到百姓尊崇，
　　　　且无人会因此而感到压迫。

当圣人想要引领百姓，

就要把自己放在百姓之后，

知其心晓其苦洞悉民意，

才能成为得人心的王者。

他的引领如空气般自然，

也如春雨能解除焦渴，

圣人虽得到众人的尊崇，

百姓却没有丝毫压力。

虽然也时时引领着百姓，

但百姓不会受到其伤害。

圣人会得到真心的拥戴，

他的文化也会因此而广传，

枯黄的土地于是有了生机，

绿油油中荡漾着无穷诗意。

那绿意也是一颗颗种子，

细心浇灌会长成大树。

圣人就像园丁爱护树种，

发誓永不厌倦永不抛弃。

圣人更不去争权夺利，

故天下也不会与他相争。

天下人都会成他的子贡，

为他的远行提供着辎重。

于是他就有了广大的事业，

其影响如火炬将源远流长。

67．三件宝物

天下皆谓我道大，似不肖。夫唯大，故似不肖；若肖，久矣其细也夫。我有三宝，持而保之。一曰慈，二曰俭，三曰不敢为天下先。慈故能勇，俭故能广，不敢为天下先，故能成器长。今舍慈且勇，舍俭且广，舍后且先，死矣。夫慈，以战则胜，以守则固。天将救之，以慈卫之。

天下人都对我说道很大，但又不像任何具体的事物 —— 正是因为道很大，它才不像任何事物；如果道像某个具体事物，就可以被描述了，一旦可以被描述，道便不是道了。我有三件宝物：一叫慈，二叫俭，三叫低调不争 —— 因为慈爱才会奋不顾身，因为俭朴故能积累广大，因为低调不争才能妙用万物之所长。但现在刚好相反，人们舍去慈心追求蛮勇，舍去俭朴追求广大，舍去不争凡事争强好胜，最后就只有死路一条。有了慈爱之心，打仗就会获胜，防守也会坚不可摧。所以，天想要救谁的时候，必然会让他的心中充满慈爱。

[导读]

我看到那个思想黄金时代的智者，都怀有同样的宝物，那宝物放大光明，能照亮人心的所有黑暗角落；那宝物如甘露，能息灭世间所有的热恼与争斗。

它在佛陀的手中，也在老子的手中。它叫作慈悲心。

老子说，他还有两样宝物，相当于慈悲心的左膀右臂。一个是俭，一个是不敢为天下先。

你可以把俭理解为节俭、俭约，其实它远远不止于此。俭的本质，是一种戒。是不是听着很像佛陀所说的戒律？二者原本就是一致的。节俭也好，俭约也好，都是对自己的一种约束，和戒律一样，将生命中多出来的欲望和私心杂念，全部剔除，保护好真心的素朴。

不敢为天下先，既是一种谦下不争，又何尝不是一种平等心和无分别心？若视万物等同，人我无别，还有争先的念想吗？

　　其实，老子或者佛陀，他们说了那么多，说来说去，只是这几个字。这慈悲心，便是世间最强大的力量。济世救民，撒播光明火种，为人民谋幸福，哪个不需要大丈夫的无畏勇猛精神？哪个不需要影响世界的大力？而大勇和大力，都只能从慈悲心中产生。

　　最柔弱的女子，救护子女时也会成为勇士；最超然世外的智者，救护众生时也会深入红尘。

[诗说]

　　　　　天下人都说道过于玄妙，

　　　　　大而无当难以理解，

　　　　　既不能对照也不能把握，

　　　　　如老虎吃天无从下口。

　　　　　这正是大道的精髓所在，

　　　　　大象无形故不能具体命名，

　　　　　若是能以具象为标签，

　　　　　那便不是真正的大道。

　　　　　道是普遍的本体智慧，

它不是具体的细枝末节，
因为没有具体方法，
人们才觉得无从着力。

其实说起来也有可循之迹，
那便是生活的方式和准则。
它们也可以作为入道之门，
久久行之便可洗去旧习。

我的一生中有三件宝物，
我一直当成了生活方式——

第一是用慈心应对万物，
用柔心应对那有缘之人，
与人为善为他人着想，
因此才能仁者无敌。

第二件宝物我名之为俭，
不去向往奢靡的生活，
以简约朴素为人生主调，
因此便省去了诸多物累。

第三宝是不敢为天下先，
从不乱冒怪声标新立异，
随波逐流崇尚自然，
于是能游刃有余于红尘世界。

因为慈心我才豁达通明，
从不怕半夜有恶鬼敲门；
因为俭约才有无穷空间，
虚室生白生机无限；
不敢为天下先才和光同尘，
免去了世上无端的纷争。
懂得了选择学会了取舍，
才能积累实力成就大器。

这有点像那土中的竹子，
用大量的时间准备自己，
经过了长期的实力积累，
方能于数日里刺穿天空。

如果舍了柔慈争强斗狠，

时不时就逞那匹夫之勇，

我的世界就到处是对手，

处处是障碍寸步难行。

如果舍弃谦让老是争先，

我就会成为众矢之的。

君不见出头的椽子总是先烂，

堆出于岸必遭激流冲击，

那枪打的也总是出头鸟，

这样我就会死于非命。

保持柔慈会众志成城，

参与战争能赢得胜利。

用于防守也固若金汤，

慈心能化解对手的戾气。

慈柔暗合道妙天机，

大自然也会为他助力，

守慈示弱是道之大宝，

可惜没有人明白这真理。

68.和风中的幽香

善为士者不武，善战者不怒，善胜敌者不与，善用人者为之下。是谓不争之德，是谓用人之力，是谓配天，古之极。

[意译]

最好的将士不以暴力取胜，最会打仗的人不会被激怒，最善于胜敌的人不与人相争，最懂得用人者不会高高在上。这是一种不与人争的品德，也是一种善于用人的能力，它与道相合，是最高的境界。

[导读]

有人说，老子也是个优秀的军事家，瞧他在战争上多有谋略！ 不逞强，不易被激怒，不与敌人正面对抗，还会借力，完全是一副老谋深算、谋定后动、城府深厚的形象。

非也非也。

圣者和凡人即使做了一样的事，心也是不同的。普通人这么做，可以说他是有军事智谋，而圣者这么做，是因为他有慈悲心。即使在老子所处的战乱时代，不得不面对战争这种残酷的社会现实，也依然要以慈悲心应对。

所以，老子说了很多关于战争的话，不是因为他对军事有什么特别的兴趣，而是因为他不得不说。既然无可逃避地要面对战争，那么不如告诉人们，如何在战争中，也能尽力履行不争之德，不忘慈悲。

冲动是魔鬼，逞强、易怒、好斗，都是战争的助推器，保持克制，保持冷静，尽力迂回化解危机，才是不争之德的体现。

别忘了，老子说过，在战争中即使胜了，也要视作丧事，要悲哀哭泣的。上天有好生之德，智者岂能不悲？

看得出，老子反对战争，他是一个反战主义者。在他看来，只要是战争，无论被动还是主动，都是不吉祥的，也是他不愿参与的。他说过，即便不得不参与战争，心里也要有一种悲哀，明白眼前的一切是一场悲哀的幻觉，虽然终将结束，但不值得享受其中，更不值得感到兴奋，或沾沾自喜。战争结束后，还要像安葬自己的战友一样，为敌人处理好身后事，同时还要为造下无边杀业而忏悔。这种悔意和疼痛会守护自己的慈悲心，让自己不至于被暴力激活了嗔心。

人的心灵是很容易被异化的，只要一点火星，就能引燃一座欲望的火山。欲望的火山一旦爆发，罪恶的岩浆就会烧光生命中所有的绿意。老子明白这个道理，所以老子即使在退一步谈作战时，也仍然在强调约束自己，"恬淡为上"。

说着这些话的时候，他多像一个无奈的老母亲啊——他明知很多事自己控制不了，比如那个好战的年代，那些好大喜功的国君，还有那些追求战功的将士，于是，他就顺应那个时代的喜好，从另一个角度去传播他内心的光明。

他也像一个在随时寻找缺口，好往里面投射阳光的人，既让人感动，又让人心疼。不过，几千年来，哪一个怀揣慈悲光明，想要照亮世界的人，不用承受无奈带来的疼痛呢？既然慈悲成了他的宿命，那么疼痛也就成了他的宿命。那疼痛，也是慈悲的另一种体现。艾青的一句诗中说道："为什么我的眼里常含泪水？因为我对这土地爱得深切。"我们可以修改一下："为什么他们的眼中常含泪水？因为他们对众生爱得深切。"就是这样。在明知不可为而为之的事业中，一种美好的疼痛，就成

了另一种宿命。只是，智者哪怕面对这种疼痛，也能明白它虚
幻的本质，因此会安然地活在自己的明白里，坦然地做事，永
远不会退转。

[诗说]

　　　　　你看那些伟大的将帅，

　　　　　外表上倒像文弱的书生，

　　　　　他们从不逞那勇蛮之力，

　　　　　像和风吹来怡人的香气。

　　　　　善于战胜敌人者不正面冲突，

　　　　　也从不轻易被对手激怒。

　　　　　善于用人者总显得谦下，

　　　　　像水能注入各类容器。

　　　　　温润如玉是一种美德，

　　　　　露獠牙发怒是一种破相。

　　　　　拔了钉子木上依然有伤痕，

　　　　　所以智者从不跟人撕破脸皮。

发怒是一种不好的行为，
古人于是说火烧功德林。
它的本质是一种愚痴，
总会牵引出心中的愤怒。

发怒者并不知怒火无益，
它只是一种情绪的宣泄，
往往于事无补徒增烦恼，
表面的冲突毫无意义。

善用人者要以德服人，
并能建立规范的制度。
虽不发怒但要恩威并施，
这才符合天道的规律。

水面虽平却少不了波浪，
量尺虽正也免不了误差。
要明白规范亦有局限，
如何使用取决于人。
即使大山已高入云天，
背对时你也看不见它。

秋草之末虽然细微，

认真观察也可知其脉络。

所有的树木皆蕴含火性，

没有火种便很难自燃；

大地之下仍然有水路，

要是不开掘便很难使用。

每个人心中都有美德，

但需要开掘才会彰显。

面对河水一直想打鱼，

不如回家去马上结网。

面对世界时虽有雄心，

不如先完成自我的修炼。

良弓需要调好才可以放箭，

骏马需要驯服才可以乘骑，

人才必须先驯服自心，

才能应对纷繁的局面。

高山必有坚实的基础，

大树必有深远的根系，
要想建立不朽的功业，
必须积淀深厚的道德。

战鼓不藏纳自己的声波，
捶打时才发出惊天之声。
明镜不吸收外界的光线，
才能照天照地映照众生。

巨钟虽能发出惊天的轰鸣，
你不敲它时它就会静默。
洞箫能吹出悠扬的乐曲，
你不吹它时它不会发声。

圣人虽有经天纬地之才，
不为得到外物而卖弄。
有事时随缘而应事，
无事时内藏于心。
柔弱的外显是内德之外达，
内证圆满时才会有自信，
当贤者内证圆满之时，
天下人才方向心而归。

69．以退为进的智慧

［原文］

用兵有言：吾不敢为主而为客，不敢进寸而退尺。是谓行无行，攘无臂，扔无敌，执无兵。祸莫大于轻敌，轻敌几丧吾宝。故抗兵相若，哀者胜矣。

［意译］

关于用兵有这样的说法：我不敢主动挑起战争，也不敢咄咄逼人，宁愿后退一步。也就是虽有阵势，却像没有阵势；虽然奋臂迎敌，却像没有手臂；虽然面对敌人，却像没有敌人可打；虽然手握兵器，却像没拿兵器。最大的祸患就是轻敌，轻敌就会丧失慈、俭、让这三宝。所以，两军交战的时候，往往是能够守持三宝的一方得胜。

[导读]

慈悲者心中是没有敌人的，但面对那个好战的年代，战争
始终是个不能回避的话题。所以，老子再一次谈到了如何作战，
如何获胜。

他的获胜之道跟别人不一样，在面对别人的勇猛时，他显
得有些退缩和躲闪，不敢先动手，不敢贸然前进，只敢守住自己，
甚至后退一步。这形象有点像个懦夫了，但老子当然不是懦夫。

他守住自己，是因为他的心里没有敌人，他可以为了应敌
而动手，但永远不会为了战胜别人而出击。同样，他的心里也
没有武器，没有阵势，没有杀气，甚至没有胜利，所以他既不
轻敌，也不逞强，永远只是应机而动，顺势化解。于是，对方
的前扑就像拿刀砍向虚空，扑得越是用力，摔得就会越惨。但
这个结果他同样不会开心，在他眼里，这不过就是一场毫无意
义的游戏，可偏偏有这么多人乐此不疲，枉送性命，多么无奈。

所谓的胜利，只是一声悲悯的叹息。

[诗说]

善兵者很少主动进攻，

往往采取守势诱敌深入，

宁愿后退一尺不去强碰，
也不敢贸然前进一寸。

用心当洞悉百姓欲望，
善用兵先弱敌而后战，
善守者不拘泥于防守，
善进攻者绝不会硬拼，
不善战者想战而求胜，
善战者有胜算才应战。

虽然会摆阵却像是无阵，
虽然要撸起袖子加油干，
看上去却像没有臂膀。
虽然面对可怕的敌人，
心中却似无敌人可对阵。
手中虽然有神兵利器，
看上去却像无兵器可握。
心中虽然有警觉的智慧，
却又懂得示弱和守拙。
凡此种种取舍与行为，
运用之妙存乎一心。

切记示弱绝非轻敌，

轻敌容易犯可怕的错误，

智者绝不会做出这样的事情，

就像雄狮搏兔也必用尽全力。

天上不会有两个太阳，

狮王不允许两个并雄，

猛虎不可能成群结队，

猎隼也很少成双成对。

两强相遇时必有争端，

杀敌一千却自损八百。

是故智者要学会示弱，

不要好勇斗狠穷兵黩武。

当两军实力相当的时候，

哀兵比骄兵更容易胜利。

所以不要把面子当成尊严，

甘愿被人唾弃和轻视，

才能得到真正的成功，

守住自己最该守的东西。

70.黄金藏在黄铜背后

[原文]

吾言甚易知，甚易行。天下莫能知，莫能行。言有宗，事有君。夫唯无知，是以不我知。知我者希，则我者贵。是以圣人被褐而怀玉。

[意译]

我的话很容易懂，也很容易照着去做，但天下却没有人能理解，也没有人照着去做。为什么？因为言语需要主旨，处事需要准则，但我说的话，并没有成为世人的主旨和准则，他们也并不理解。所以，不但能理解，还能照做的人，是多么稀有难得啊！很多人都不知道，真正的圣人虽然披着麻布衣服，但他们怀揣宝玉。

[导读]

我听出老子的失望了。更多的还有一种寂寞,无人理解、无人同行的寂寞。大道如此宽广,他却只能踽踽独行,寥落的背影令人心酸。

但并非所有人都没有慧眼,看不出这个身穿粗布衣服的老人,怀里藏着美玉。他的形象再普通,也还是引起了一些人的注意。

追寻着他的脚步的人,历代不绝。两千多年来,人们从未忘记过他,还有他的《老子》。人们也一直在仰望他,学习他,这条路走得并不容易。

会者不难,难者不会。老子觉得很容易理解,很容易做到,可芸芸众生却觉得很难很难,几乎是做不到。一个说起来简简单单的无为而治,就让无数人困惑不已,直到21世纪的今天,我们也几乎没有看到完美的无为而治的典范。

是人类越来越笨了吗? 还是人心越来越复杂了呢?

但老子应该感到欣慰的是,人类从未放弃对大道的向往与追寻。在后来者中,也还是出现了他的知音和同道者的。

大道不孤。

[诗说]

我的话听起来很简单，

实践起来也很容易，

但理解我的人寥寥无几，

真正效法我的人更为稀奇。

因为我们的言论要有主题，

我们做事要有准则，

而世人却不明白这个道理。

当然，这也因为我穿着粗布衣服，

以貌取人的世人往往视我作寻常，

他们哪里知道，

看似寻常的我，

怀里其实揣着美玉。

真正的智者有拙朴的外相，

他们无求无欲很少炒作，

更从来不会哗众取宠。

他们有着金身却外包铜皮，

总是和光同尘像芸芸众生，

人们于是很难发现他们。

但明眼人总会通过那言行，
品到一抹不寻常的味道，
那就是大道的味道，
虽混同众人，
却安详无比。

影子弯曲是因为肢体变形，
声音浑浊也源于声带不佳，
若是身体挺拔则必无曲影，
若是宅心仁厚则不发恶声。
是故君子修身会抓住根本，
正本清源大善铸心。

神意平和是修身之要，
爱惜生命要节制欲望，
避祸先立于不败之地，
做事明白进退与取舍。
明进退取舍就可不败，
不败的别名是无求无欲。

圣人的智慧看似简单，

但一定会从心上用功，
还要在行为中有所体现，
成为恒常的生活方式。

与将死之人同病的郎中，
不可能成为救世的良医。
与亡国之君同流合污者，
不会有治国安邦的良谋。

治国的根本在于安民，
且贵在防祸乱于未然，
仁义礼智的力量有限，
当无为而治顺其自然。

叫乐伎为你夜夜笙歌，
叫技工为你日日按摩，
虽然感觉上舒适合度，
却不可能成就国家大事。

聋人不唱歌因为音障，
盲人看不见无法视物。

不要效法那井底之蛙，
兼听则明偏听则暗。

道的运用是一生的修养，
世人更喜欢实惠地获利，
像商人一样计较算计，
功利成了他们的本能。

大道的实践要超越功利，
它仅仅是在改变人生。
它的过程便是目的，
践行大道者因此稀罕。

三岁小儿也明白那道理，
八十老人却未必能实践。
无为是超越功利的修养，
它远远超越了得失功用。
它是究竟的成功之道，
近视眼却看不到大用。

71．自知之智

知不知，上；不知知，病。圣人不病，以其病病，夫唯病病，是以不病。

[意译]

知道自己还不明白道，还有缺陷和局限，就是高明之人。相反，明明不明道，还有很大的局限，却以为自己什么都知道，就是病人。圣人能正视自己的毛病，明白自己还不完善，所以圣人没有病。

[导读]

圣人和普通人的区别，往往不在我们以为的惊天动地的大事上，而就在谁都容易忽略的细微之处，比如一种思维习惯，一种信念模式，一种不能自我觉察的东西。

有些习惯真的是人类普遍共有的，比如将一切问题归于外界和他人。仔细想来，这真的是一件很奇怪的事情，难道这也是一种程序？男人、女人，成人、小孩，富人、穷人，有文化的、没文化的，都会如此，步调如此一致：看得见别人的过错，看不到自己的缺点。

所以，突破这一程序的圣人，才如此难能可贵。因为他是昏睡的众人中，唯一清醒的那个；他是统一的错误步调中，唯一走出了自己步伐的那一个。

找自己的缺点，找自己的问题，听起来并不难，真正做起来才知道有多难。像是一个人徒手阻拦飞速滚动的车轮那样，拦住它，并且使它转向。而圣人竟然做到了。

最强大的人，是战胜自己的人。

当你不再审视别人，而是审视自己；当你能心平气和地接受别人的批评；当你经常主动反省，找自己的毛病，这时候，才是由凡入圣转向的开始。

所以，大自然非常奇怪，它配备了两套程序，一套属于圣者，一套属于凡人，凡圣之间总会呈现出截然相反的轨迹。只有当凡人厌倦了自己的轨迹，想走出一条不同的人生路，并且为此而发出寻觅的信号时，大自然才会开启格式化的程序，为他清理病毒，为他格式化旧数据，当他灵魂的空间恢复洁净时，再为他安装新程序，到了那时，他也就超凡入圣了。

从这个意义上看，《老子》又何尝不是一份系统说明书呢？而这一章就是在告诉你，前面所表述的一切境界，如果缺少最关键的一步，就不会出现。哪一步？审视自己。

[诗说]

> 眼睛能看到百步外的树木，
> 却不能看到自己的眸子。
> 人认知外物相对容易，
> 却看不清真实的自己。
> 智者要有自知之明，
> 明白生命有涯而智慧无涯。
> 要清晰地明白自己的不足，
> 这也是一种高明的智慧。
>
> 愚人总是自以为是，

认为自己无所不知，

这是一种愚痴的大病，

它会障蔽一生的成就。

有道的圣人圆满无缺，

因为他明白自己的局限。

正是因为有这自知之明，

他才能一天天趋向圆满。

圣人神无所掩烂漫如婴儿，

心无所载淡然若无事，

内心淳朴名利不能诱惑，

思想通达谋者不能拘束，

意志坚定辩者不能动摇，

精神强健暴者不能恐吓。

巧言令色者定然没救，

粉饰缺点者亦难成功。

要接受自己的不圆满，

向往圆满并成为圣者。

72．高贵者没有自己

[原文]

民不畏威，则大威至矣。无狭其所居，无厌其所生。夫唯不厌，是以不厌。是以圣人自知不自见，自爱不自贵，故去彼取此。

[意译]

老百姓不畏惧统治者的威势时，那么更大的威势将要到来。所以，不要侵占老百姓的土地和生存空间，更不要压制和驱逐他们。君主只有不压制子民，才不会被子民所厌弃。圣人不但有自知之明，而且不会有成见，不会自以为是、好为人师，所以他们会抛弃尊贵的姿态，保持淳朴低调的生活方式。

[导读]

也许，自古以来世人对威势，就有一种错误的理解，他们以为威势是从外面来的，通过压服他人，就会显得自己很有威势。难怪，总有一些当权者，喜欢骑在人民的头上作威作福。可最后，无一例外，都被掀翻在地了。

喜欢掌控他人的人，也是一样的心理。虽然他掌控不了自己，但他依然感觉很好，因为他有掌控别人的威权。

老子说的，既是那些掌权者，也是每一个普通人。纵然平凡如路人甲，心中也有对威权和威势的渴望。倘若给他一个机会，让他手握权柄，你看他会不会耍弄一下威风？权力从来都是人心的试金石。

而圣人的威势，源于自身的高贵，与权力、地位和他人，皆无关系。圣人是自己的君主，他完全掌控了他自己。

圣人的威势源于无求，无欲无求便无须操控别人，无求无欲便不会向世界索取。无论是物质还是虚名，都不能让圣人失去自己。他的智慧是高高的太阳，能为众生提供能量和光明；他的姿态却是地上的泥土，谁来践踏他都会接纳，既不会在乎，更不去反击。因此，他不需要表现给外人看，以获取众人的掌声和仰视。他更不需要压低别人凸显自己的高贵，他可以做高高的太阳，也可以做低低的泥土，你说，他到底是高贵，还是不高贵？

[诗说]

要让百姓安居乐业，
别阻断其谋生之路。
只有真正地热爱百姓，
才会得到人民的爱戴。

威权当然也很重要，
它代表了秩序和准则，
要是老百姓不再怕威权，
可怕的灾难就要发生。
因此要提倡敬畏，
敬天地敬鬼神或信因果，
当知道举头三尺有神明，
行为上才会有所取舍。

有所敬畏是一种美德，
是故君子才提倡慎独。
有道的圣人更有自知之明，
从不自我表现显示自己高明。

他们从外相上看不出高贵，
却能自爱有颗高贵的心。
真正的高贵便是没有自己，
无我无成见能舍己从人。

是故我们要舍弃自我成见，
打碎鸡零狗碎的执着和自私，
也要放下自以为是的所谓高贵，
在自知之明中做到自爱，
用自爱铸就高贵的自己，
让高贵的自己成为大道载体。

73．从容是因为看破

[原文]

勇于敢则杀，勇于不敢则活。此两者，或利或害。天之所恶，孰知其故？ 是以圣人犹难之。天之道，不争而善胜，不言而善应，不召而自来，繟然而善谋。天网恢恢，疏而不失。

[意译]

所有想用暴力强权做事的人，都必然会被天机所杀，无一例外。勇于谦让示弱的人才能活下来，得到生机。这两种情况各有利弊，而且都属于自然规律，反映了天道对善恶的倾向，就连圣人都说不清。天道法则是，你不争反而能得到胜利，不去鼓动宣传反而能得到世界的回应，不召集而天下人自然汇聚，从容不迫反而善于筹划。表面看来，一切都是偶然，但在天道之中，哪有什么偶然，一切其实都是必然。

[导读]

原来，勇气并不是只有一种，勇敢的方向也不是只有向前。

前进是一种勇气，有时候，退后更是；

坚强是一种勇气，有时候，柔弱更是；

争是一种勇气，有时候，不争更是；

说是一种勇气，有时候，不说更是。

而且往往退后比前进更好，柔弱比坚强更好，不争比争更好，不说比说更好。你觉得很奇怪吗？大自然怎么会有这种规律？它想让我们学会什么呢？

人之所以太有为、太勇敢，恰恰是因为人太恐惧，不安心，不踏实。你看到了吗，内心淡定的人，都喜欢以不变应万变，以静制动。外界一点风吹草动就跳起来的人，都是不淡定的。淡定的人不慌不忙，看看再说。

这算不算自然规律想要我们学到的东西呢？

它要我们安下心来，相信自有天威和正义存在。因为它的规律之网无处不在，我们不必杞人忧天，担心会有什么例外。只管放下心来，从容些，再从容些，一切纷繁变化，都逃不脱规律之网。

[诗说]

老人暂停了叙述看向远方，

半晌后望我一眼微微一笑。

他的笑容里有无尽的奥妙，

他的仪态让我如沐春风，

古今的圣人皆是如此，

总是温润如玉令人愉悦。

老人低沉的声音又再响起，

它仿佛从亘古响到了如今。

他的神情不像在倾诉，

倒像是历尽沧桑后自言自语 ——

瞧那些勇猛的所谓强者，

总是功败垂成短命夭折。

而那柔弱者反倒长寿，

其事业也会绵延不绝。

刚柔的结果往往迥异，

像两种树结成的果子。

柔总是能获得大益，

过于刚者反受其害。

大道为何厌恶强权？
没人知道其中的缘故。
天道的规律倾向于不争，
无争者往往善于取胜。

圣人不看重盈尺的宝玉，
因而不废一寸的光阴，
光阴难得而易失，
故圣人不做无谓之争。
他善用其资应时而动，
守住清静之规，
抱定柔弱之节，
因循传统而顺变，
常居人后而不先，
保护柔而静的心态，
好一派沉着从容的风光。

顺道则祥光普照，
逆道则黑煞汹汹，

大道无言，百鬼狰狞，
静默是应对万物的窍诀。

君子的言语要有主旨，
君子的行为要有根本，
若是失掉了大道之根，
说太多的话也没有意义。
君子于无言中与道合一，
话语太多会伤人伤己。

你看那桃李不做广告，
下面却有一条条蹊径，
人们向往那甜美的果实，
不用招徕自然趋之若鹜。
只要你有足够的德行，
低至极处大到无极，
你自然无须劳心费神，
不召唤却会百川来归。

有诚有信则诸事能成，
无求无为则超越凶吉。

凡事都不是强求而成，
要首先备好成事的内因。

居安中不忘思危，
思危后便知思退，
思退后明白思变，
这便是智者所谓的善谋。
智者总能防患于未然，
夙夜匪懈地想到危亡。
愚者却总是纵欲怠惰，
如夏虫不知秋之将临。

历史上那些亡国之君，
大多淹死在欲望之渊——

"捐货币以悦其君臣；
籴粟囊以虚其积聚；
遗美女以惑其心志；
遗之巧工良材，
作宫室以罄其财；
遗之谀臣以乱其谋；

疆其谏臣使自杀以弱其辅；

积财练兵，以承其弊。"

这便是有名的伐吴七术：

一则以金钱麻痹敌人，

二则高价购粮消耗其储备，

三则以美色消磨其意志，

四则诱其兴土木劳民伤财，

五则派出奸臣扰乱其内政，

六则逼死谏臣令其无人辅佐，

七则积极练兵以备适时出征。

七种手段皆以人欲为入口，

最终灭了一个强大的吴国。

是故君子要警惕欲望的可怕，

于战战兢兢中守定道心。

天道是一张无极的大网，

看似广阔宽疏但并不漏失，

因此君子要慎独慎行，

关闭欲门以断绝灾星。

74 . 司命在天不在暴力者

[原文]

民不畏死，奈何以死惧之？若使民常畏死，而为奇者，吾得执而杀之，孰敢？常有司杀者杀，夫代司杀者杀，是谓代大匠斫。夫代大匠斫者，希有不伤其手矣。

[意译]

老百姓连死都不怕了，又何必用死亡来吓唬他们呢？再者，不要动不动就欺负老百姓，如果谁常常用死亡来威胁老百姓，无道就会灭了他，要是知道这个规律，还有谁敢这么做呢？就算真的要去干涉老百姓的生死，大自然里也自有这方面规律的掌管者，不用你多管闲事。如果你总是对不该你管的事指手画脚，你的手就肯定会受伤。就像做家具的人自然能做好家具，如果你不会做家具，却偏要用斧头去砍木头，你的手自然会很容易受伤。

[导读]

我知道，管理天下是件不容易的事。所以，黔驴技穷的暴力统治者，就只有一招能恐吓人了——他们以为没有杀人解决不了的问题。若是有，就多杀一些。

看到这种现象，老子几乎要流泪了：民众不怕死，你们以为用死就能威吓他们吗？你们还有没有更好的方法？即使群体中确实有那么几个"害群之马"，又有谁敢去行使杀生的职责呢！谁够格？

人是天生的，也只有天有权利杀他，所谓天生天杀，符合自然之道。

而暂时掌管着权力的统治者，并不是那位司命者或司杀者。

这里，也是老子最被人误解的地方。两千年来，多少注释家都以为，老子认可以暴力对待群体中那些"为奇者"，他们把老子注释得杀气腾腾，完全忘了圣人的慈悲心。圣人善救一切人，不弃一切物，怎么会去杀害某些人呢？何况，那"为奇者"究竟是什么人还不好说呢，也许整天说别人是"为奇者"且要杀了他们的人，才是真正的"为奇者"。

我们总是能听到暴力者的振振有词：我们是替天行道！

谁赋予了他们这个权力？如果真是天赋予的，为何暴力者总是被终结于暴力呢？可见，硬是要"替天行道"，抢夺上天的司命权，最后伤到的只能是自己。

[诗说]

要是老百姓不怕死亡，
死亡怎么能吓得住他们？
要是杀人真的有效，
咋还有人敢为非作歹？

但世上总有不怕死的人，
也总是不乏作乱的暴徒。
那一次次的农民暴动，
更是不怕死者的剧目。

所以我不提倡苛政酷刑，
而强调尽量要行施仁政。
上天才是真正的执法者，
总是善有善报恶有恶惩。

天下都敬慕仁人志士，
百姓都认可利他义举。
有时的仁义却身败名裂，
因为其仁义不合时宜。

只懂仁义而不明权变，
就不会符合时代的需求。
民间的毁誉只是云烟，
动摇不了政治的根基。
故圣人总是顺世借势，
时势才能造就英雄。

若是知天理而不明人心，
则无法从根本上影响民众。
因此圣人要洞悉人心，
民心向背便是那天意。

圣人心中有不变的东西，
那便是他向往的真理，
但他的外相却显得多变，

因为要守护不变的精神。

载体的选择须随顺人心，
人心多变是故载体多变。
而载体无论如何变化，
承载的东西都始终如一。

天载着日月发出光明，
地统领阴阳滋养万物，
和而不同才能成大势，
无量的众生均能受益。

效法天地者可以成王，
当正大光明审视自身，
以和为贵故能成万象，
高瞻远瞩如游于太空。

和是一种伟大的禀赋，
它看似无形却源于有形，
天体宇宙因和而运行，
君子效天道而成就大业。

天道像手艺高明的大匠，

总能运斤成风从不失手。

要是有人代替大匠去砍木，

却有可能砍到自己指头。

所以顺应天道才能长存，

残暴者定然会不得善终，

强权也大多会死于非命，

扰民的王朝同样会短寿。

无为的智者才长命百岁，

爱民的善政才绵延不绝，

是故聪明的君王会顺应天道，

不做那逆天行事的粗鄙愚人。

75 . 乱世的种子

[原文]

民之饥，以其上食税之多，是以饥。民之难治，以其上之有为，是以难治。民之轻死，以其上求生之厚，是以轻死。夫唯无以生为者，是贤于贵生。

[意译]

老百姓之所以饿肚子，是因为统治者向人民索取的赋税太多，导致老百姓陷入贫困。老百姓之所以难以统治，是因为统治者总想着建功立业，不断瞎折腾，让老百姓不堪其扰，也不知所措。老百姓之所以不怕死，是因为统治者过于贪生、追求个人享受。不去过分地关注养生和长寿，反而对健康更加有利。

[导读]

世间无道，究竟是谁的过错呢？

是人口太多，没办法让每个人都吃饱饭吗？还是人心变坏了，处处是刁民，太难管理了呢？

居于上位的统治者，通常都有这样的逻辑，他们总认为是在下的百姓不好，让他们不得省心，却从来看不到，一切的根源，原来出在自己的身上。

老子列出了这些居于上位者的三宗罪：

第一宗罪，赋税太重。将民脂民膏都搜刮到自己的口袋里。请问，这种行径，与抢劫他人财物的强盗，有什么区别呢？也许，唯一的区别是，强盗是不合法的，而他们是合法的。法也是他们自己定的。

第二宗罪，太爱折腾。居于上位者，为了满足自己的私利，翻手为云覆手为雨，将一个原本平和的世界，折腾成了晃动不停的筛子。

第三宗罪，求生太厚。恨不得把天底下所有的东西，都拿来奉养自己，好让自己活得滋润，活得长久，全然不顾在下的百姓已经活不下去。比起挣扎着活，死亡，竟然成了他们更好的选择。

于是，老人只好自言自语了，他在自言自语中阐释着真理，明知那些居上位者一定会遮住耳朵，嘟囔着"不听不听"，他也还是说着。就像我在小说《母狼灰儿》里写到的那头母狼，她明知孩子的眼睛是睁不开了，但她还是一下下地舔着，因为睁不睁得开是天的事，舔不舔是妈的心，智者也是这样。智者和母亲，本质上其实是同一种心情。

[诗说]

老百姓吃不饱肚子的原因，
是统治者有太多苛捐杂税，
一个个大老鼠脑满肠肥，
老百姓自然是面有菜色。

要是统治者政令苛刻，
总喜欢朝令夕改随意折腾，
百姓更是会疲于奔命，
社会也会动荡不安。

那些积极有为的所谓明君，
老是踩油门没有节制，
或是掉悬崖或是撞大山，

常常短命夭亡死得很惨。

要是他们搜刮民脂民膏，
贪得无厌奉养自己，
将天下财富都攫为己有，
老百姓就会活不下去。
水能载舟也能覆舟，
江山于是就风雨飘摇。

所以智者的淡泊享受，
要远远胜过愚者的奢靡。
明智的君王会效仿智者，
控制欲望不与民争利。

76. 柔弱至极可成山成海

[原文]

人之生也柔弱，其死也坚强。草木之生也柔脆，其死也枯槁。故坚强者死之徒，柔弱者生之徒。是以兵强则灭，木强则折。坚强处下，柔弱处上。

[意译]

人的生命力来自柔弱，过于刚强则容易两败俱伤。草木的活着，是因为它们很柔，能随顺环境；一旦草木变得干枯，就意味着它们正在走向死亡。顺世代表了生机，而不顺世、与世界对着干，就代表了死途。所以，过于坚硬的木头容易被折断，攻击性力量过强，也容易夭折。久远地看来，坚强者处于弱势，柔弱者反倒占优。

[导读]

人人都想要变得强大。可什么才是真正的强大？我们肯定对此有很大的误解。

掌权者以为权势遮天就是强大，能够对天下人生杀予夺就是强大，能够以武力扫平天下就是强大，能够以威权令四方臣服就是强大。

普通人以为事事占据上风就是强大，能够压服别人而不被别人压服就是强大，能够操控自己想要的事物和人就是强大，能够无所畏惧而令人畏惧就是强大。

无数个这样的强者，如一个个滚雷般，发出巨大的响声，从历史的天空中滚过，着实震耳欲聋，但也稍纵即逝。

不紧不慢，晃晃悠悠骑着青牛的那位老者，从口出徐徐吐出的轻柔话语，却如甘霖般，连绵不绝滋润了这个世界两千年，直到今天，并将一直继续下去……

大道母亲早就将秘密公布于自然，一草一木，乃至我们人自己，身上就有答案。什么才是真正的强大？

至柔者至强。

[诗说]

一个人若是还活着，
就会柔软而充满生机。
他死亡后气息全无，
就会僵硬且面如死灰。

活着的草木柔软有弹性，
想要将其折断不太容易。
死去的树木坚硬枯槁，
不需用力就能将其折断。
所以万物要是过于坚强，
就会趋向毁灭自寻死路。

柔弱的东西总能长生，
用兵逞强就会毁灭。
靶子张开会招来箭矢，
强大会成为众矢之的。
你不看那树木一旦成材，
总是会招来砍伐的锯斧。

牙齿坚硬总是先掉落，

舌头柔软却相对长存。

弓弦虽然柔弱有弹性，

却能射出刚直的箭矢。

那些强大者终究受损，

柔弱无为反得到上位。

因此要用柔来守护那刚，

要用弱来守护那强，

柔弱是一堆堆不经意的细土，

一日日累积下去，

就会堆成刚强的大山。

看那世上纷扰的剧目，

贵以贱为本，

高以下为基，

小可以托大，

内才能制外，

行柔者刚而有力，

刚强者总是先亡。

瞧那暴力能战胜的，

只是比自己弱的对手。

若是双方力量相当，

则总是会两败俱伤。

只有那柔弱者，

才能胜过比自己强大的对手。

坚硬的皮革易脆，

强大的军队易败，

高大的树木易折，

热闹的群体易散。

柔弱是生的坦道，

坚强是死的助缘。

先行者总是会遭遇绝路，

后动者才可能得到顺缘。

守拙道可应对万变，

后行者可统领先驱。

世上万物总是在变化，

要实事求是把握机缘。

先动不要太过，

后动不要不及，

柔弱是一种弹性，

是水遇到容器后的应变。

当君子明白了这个道理，

就会以守弱成就大业。

77. 道的正义之箭

天之道，其犹张弓欤？ 高者抑之，下者举之，有余者损之，不足者补之。天之道，损有余而补不足；人之道则不然，损不足以奉有余。孰能有余以奉天下？ 唯有道者。是以圣人为而不恃，功成而不处，其不欲见贤。

[意译]

天道就像拉弓一样，举得太高就要往下压一压，举得太低就要往上抬一抬，力量过猛就减一些，力量不足就加一些。而且天道总会把多的夺过来，补到少的那里，人道却刚好相反，本来已经多了，却还要从少的那里掠夺，这就是贪得无厌。在人道中，谁能把多的夺过来，放到少的那里？ 唯有有道之人。

有道之人做而不执着自己做过什么，就算有功劳也不居功，不需要别人承认他们是圣贤。

[导读]

我们已经忘却了射箭的深刻内涵，只把它当作了一项武艺。古代有德者，何以如此重视习射？因为它除了修身，更有修心的作用。

心正身直，是射箭最重要的心法。射箭的过程中，一切皆要反求诸己，不管结果如何，只问自己的心正不正，身直不直，心有没有始终守住，还是跟随着离弦之箭飞了出去？

道的规律就是这正义之箭，它永远正直，因此可以损有余而补不足。它不偏不倚，始终瞄准道的靶心。从正义之箭射出，一直到正中靶心，整个过程，始终不改心正身直，更不会心随箭跑，永远守住正道。

而我们人类社会的秩序，即所谓的人之道，却像是不会射箭的人，心不正，身不直，也无法瞄准靶心，偏离了正义，射出的箭就总是脱靶。

圣人不仅是智者，也是善射的高手。因为他们有一颗合道的正义之心，才能成为有余和不足的量尺，才能做出公正的平衡。

善射的人，在射中靶心之前，总是先射中了自己的正义之心。

[诗说]

大自然的规律就像张弓射箭，
高下位置要合于中道。
箭头过高时要下移，
箭头过低时要上抬，
有余者天道必让他受损，
不足者天道定然会补之。

天道也总是劫富济贫，
常用一种隐秘的方式，
夺走富有者多余的东西，
来施与那些无助的穷人。

人道与天道恰好相反，
总是掠夺穷人来供奉权贵，
于是穷者更穷富者更富，
世界一天比一天更加失衡。

当恶性循环到某个节点，
就会招来革命重新洗牌。
强大的王朝会很快崩塌，
旧日的权贵会失掉性命。
只有得道者能洞悉天机，
主动奉献有余以奉天下。

所以圣人从不占有，
有大成就而不居功，
也不显示自己的贤能，
总是大圣若朴和光同尘，
内心虽有光灿灿的宝石，
外相上却瓦砾般质朴。

世人敬服圣人的德行，
却不敬服王者的暴力。
德之本质是给予奉献，
不在于用暴力去索取。
要是想受到世人尊敬，
首先要学会尊敬世人。
要是想战胜所谓的敌人，

首先要学会战胜自己。

圣人待人以谦下为道，
在享受上也后于众人，
众人才乐于尊其为圣，
心悦诚服地向往追随。
他们并不觉得奉献是负担，
因为圣人已经做出了表率。
故要与之为取后之为先，
不要不愿给予只想索取，
也不要一味争先唯恐吃亏，
才能百川入海天下归心。

78.看似反语的真相

[原文]

天下柔弱莫过于水，而攻坚强者莫之能胜，其无以易之。弱之胜强，柔之胜刚，天下莫不知，莫能行。是以圣人云："受国之垢，是谓社稷主；受国之不祥，是为天下王。"正言若反。

[意译]

天下没有什么比水更加柔弱，但在攻坚克强的力量方面，也没有什么是能胜过水的。柔弱胜刚强的道理，天下没有人不知道，但没有人能够做到。所以圣人说："能够为国家承受屈辱，才能做国家的主宰。能够为国家承担灾祸，才能当天下的王。"正面的劝导听起来就像反话。

[导读]

老子确实是真正的"帝王之师"，如果这个词听上去像是贬低了他的境界和层次，原因只有一个：帝王们都不是他的合格学生。

老师已经道出了如何成为一位合格的社稷之主的真诀。学生们也都知道了，却无一例外地，做不到。

这个真诀，就是取法于水。

老子无数次赞扬过水，因为水有很多美好的德行，如居善地、心善渊、与善仁、言善信、政善治、事善能、动善时。而水之所以拥有这些德行，是因为水柔弱到极致。因为柔弱，所以水能够居下，能够承载，能够包容，能够顺势，能够顺时，能够胜过一切刚强之物，以是故，老子总是推崇水，希望人们能向水学习。然而，有多少人能真正做到像水一样呢？光是愿意为国家利益、百姓利益而忍受屈辱、承受灾祸，就很少有国君能做到，反倒是身为臣子的冯道做到了。但做到这一点的冯道，却从来没有志向去当国君，因为他只想让利于民、造福于民，不想成为名义上的一国之君。但也许他比他侍奉过的任何一个君王都更像合格的君王。而无可否认的是，这需要一个人有巨大的智慧和德行，因为，冯道的行为不是每个人都理解的，不理解的人，骂了他足足上千年。可冯道呢，他丝毫不管那些骂声，反而快快乐乐地活着，快快乐乐地继续帮百姓做事，晚上还乔装打扮去帮百姓种地。他真是一个可爱的人。

水的本质就是这样，它不管装它的容器是方的还是圆的，只要对方能承载自己，让自己能够润泽别人的干渴，洗去别人的污浊，给别人带去一些清凉和生命之能，它就会快快乐乐地让对方承载了自己。

做人要是能像水一样，不管帝王还是普通人，都定然会成功的。然而，有多少人能真正做到呢？

什么样的人才能成为社稷主、天下王？

就是能够像水包容一切那样，去容受骂名和屈辱的人；就是能够像水承载一切那样，去承载所有灾祸的人；就是能够像水利万物那样，去利益天下而甘愿自我牺牲的人。

[诗说]

　　　　圣者就像那天下之水，

　　　　柔弱到极致却无坚不摧。

　　　　它随顺万物随圆就方，

　　　　却永不改变其本质特性。

　　　　圣者的德行也是这样，

　　　　会因时而变但本质同一，

他永远低调永远示弱，
永远将奉献视为收获。

就如弱水总能胜过坚石，
柔弱也总能战胜那刚强，
这个道理其实不乏知者，
却很少有人在生活中践行。

所以圣人总是崇尚柔弱，
也一直倡导柔弱的智慧，
更总是将自身作为案例，
告诉人们什么是以柔克刚。

只有能承担天下的屈辱，
才能受到天下的尊崇。
只有承担化解全国的祸灾，
才能成为国家的君王。
只有低到极致没有自己，
才会赢得万世的敬仰。

能高于众人者言语卑下，

能先于众人者行为谦恭。

乐于处下总会得到推崇，

不居高不自贵反倒赢得尊重。

只有奉献出全部爱心，

才会得到天下之心。

这个道理看似正话反说，

却是契合大道的至理名言。

79．毒药和解药

[原文]

和大怨，必有余怨，安可以为善？是以圣人执左契，而不责于人。故有德司契，无德司彻，天道无亲，常与善人。

[意译]

和你有仇的人，无论你怎么化解都化解不了。什么是真正的善呢？就是像圣人那样，手里即使有借据，也不去向别人要债。有德之人就是这样。无德之人则会一直记仇，寻找机会向你讨债。天道是从不偏私，永远一视同仁，永远善待所有人的。

[导读]

面对仇怨该如何应对？

一般不外乎三种回应：以怨报怨，以直报怨，以德报怨。

以怨报怨是人性的普遍反应，你对我怎么样，我就对你怎么样，以牙还牙以眼还眼；以直报怨是儒家的耿直和端方，我不恨你不反击你，但我会跟你划清界限，让你知道我，我跟你之间就是不和了；以德报怨，是圣人才能达到的境界，面对伤害和仇怨，依然宽容大度，甚至以自己的德行去感化对方，化解仇怨。

而老子想得更远更高，哪怕以德报怨能化解仇怨，何如一开始就不要结怨呢？

钉入木头的钉子，哪怕拔了，也会留下一个深深的洞；破碎了的镜子，即使修补得如原来一样，也留下了疤痕。

真正的智者，总是从因上着眼，所谓菩萨畏因不畏果，将一切有可能结出毒果子的苗头，从种子阶段就将其消灭。这不仅是一种智慧，更是一种慈悲。不让仇怨的毒果实毒害到任何人，不管他有没有德行作为解药。

而善于种下良善果实的人，正是上天护佑的对象。

[诗说]

仇恨是一种可怕的毒药，
总能摧毁那善业善行。
当一种仇恨有了结果，
便永难消除留下的痕迹。

即使和解了深重的怨恨，
也必会留下残余的印象。
即使用善德来回报仇怨，
也不能解决根本的问题。

解决的根本还是无为，
无我无争才不招怨恨。
将怨恨杀于萌芽之中，
像炎阳融化地上的霜雪。

圣人总懂得用分寸待人，
得饶人处总能饶人，
即使保存了借据的存根，
也不强迫别人偿还债务。

有德者总像那明净天空，
能宽容地接纳风雨雷电。
也像大地一样任人踩踏，
从不怕身上会留下脚印。
只要有人愿意辛勤耕耘，
大地就奉上收获的庄稼。

无德之人像收税的酷吏，
总是苛刻如针头上削铁，
总是会贪图蝇头小利，
锱铢必较最后路断人稀。

大道虽不偏爱任何人，
但愿意帮助有德的善人。
因为有德者像无量的容器，
能盛下真正的天道圣德。

无德者像那鼻烟葫芦，
因器量太小而难成大事。
你即使给了它大海之水，
它也容不下杯水之量。

80. 知足者安

[原文]

小国寡民，使有什伯之器而不用，使民重死而不远徙。虽有舟舆，无所乘之；虽有甲兵，无所陈之。使民复结绳而用之。甘其食，美其服，安其居，乐其俗。邻国相望，鸡犬之声相闻，民至老死不相往来。

[意译]

国土少，民众少，你给他武器他也用不着，而且老百姓重视生命，所以不会远行。虽然有船只车辆，但因为没人远行，也就派不上用场；虽然配备了武器，但因为没有战争，所以没有展示之机。要让老百姓回归没有文字记事时的淳朴状态，享受美食，穿着美服，住得舒服，有愉快的习俗。国与国之间离得很近，彼此可以互相观望，还能听到对方土地上的鸡鸣犬吠，但一辈子都不需要往来。

[导读]

这究竟是一个什么样的理想世界呢？

不懂老子的人，仅仅从字面看，会以为老子描述的是一个原始社会。你看，多么落后，小国寡民，还结绳记事，还老死不相往来，与我们现在的文明发展，简直是背道而驰，完全是一种倒退！

如果真的是这样，老子还是圣人吗，还是智者吗？

我们一直在梦想着大同世界，梦想了几千年。所有人都知道，那是一个值得向往的美好世界，没有争斗，充满祥和；没有匮乏，一切富足；没有不公，平等正义……

但我们想过没有，这些抽象的美好，落实到具体的社会构建上，会是什么样子的呢？

如果按照我们目前的社会模式和文明发展方向，我们真的能抵达那个美好的大同世界吗？不需要神奇的预测能力，普通人也能略微看到未来的端倪：如果依然像现在这样，未来不会有大同世界等着我们。

是的，我们的科技飞速发展，我们的经济使物质生活极其

丰裕，我们的世界越来越小，联系越来越紧密。但我们的地球
也满目疮痍，我们的社会不公和两极分化越来越严重，我们的
心灵，越来越难以安详。

　　我们是否想过，老子提出的小国寡民，才是大同世界的有
效构建模式？他们也有科技，有交通工具和武器但不需要用，
也有丰富的物质生活，衣食无忧，并不像原始社会那般粗糙蛮
荒。而他们没有对自然的过多干涉，也没有人与人之间不必要
的复杂交往和关联，简单而又自然。

　　这难道不是一个美好的理想世界么！

[诗说]

　　　　　国家不要追求过于强大，
　　　　　百姓不要追求人多势众。
　　　　　好大喜功者定然疲惫，
　　　　　雄才大略会让人民受累。

　　　　　虽然有各种各样的器具，
　　　　　但不一定要常常使用。
　　　　　物尽其用也要顺应自然，
　　　　　有智慧也要会而不用。

聪明机诈者会制造动荡，
安分守己会让社会安宁，
人民也会珍惜自己的生命，
不要动不动就冒险远徙。

圣者虽然有船只车辆，
但不必穷其力经常用它。
虽然国家有神兵利器，
圣者也不会穷兵黩武。

宁愿结绳记事回归自然，
也不让奇技淫巧增加欲望。
这样才容易治理好国家，
让百姓衣食无忧安享天年。

国与国之间可遥遥相望，
能听到对方的鸡犬之声，
但老死也不一定非要往来，
因为各自都能安居乐业，
并且远离了机心归于素朴，
不再有寂寞也不再有功利。

81. 最后的妙曲

信言不美，美言不信。善者不辩，辩者不善。知者不博，博者不知。圣人不积，既以为人，己愈有；既以与人，己愈多。天之道，利而不害；圣人之道，为而不争。

[意译]

真话不好听，好听的话不可信。善良的人不巧辩，巧辩的人不善良。有学识的人不炫耀博学，炫耀博学的人没有学识。圣人不为自己积累财物，总是为别人付出，他们越是付出，自己越是收获满满；越是分享给别人，自己越是富有。天道是利益万物不去伤害万物，圣人之道是认真做事而不索取，更不与人相争。

[导读]

从开始的寻觅，到最后的回归，九九八十一章，九九归一，归位于道。

然而我却知道，这并不是终点。

道无始无终，我们只不过是完成了其中的一个螺旋圈的运行。它周而复始，层层递进，伸向无限。所有的生命，如点点荧光般闪耀，在道的螺旋圈中跳着自己的寻觅之舞。

大道至简，大道无言。若不是为了众生，智者恐怕是什么都不会说的。万幸，他还是说出了这五千言，留下了智慧光明的火种。

这最后的真言妙语，似乎仍然平淡无奇，很容易从人们的舌尖滑过，游弋于人云亦云的风语之中。那些滔滔不绝的人们啊，有几人真的听懂他最后的语重心长？

他就要出关了。他再也不会说些什么了，因为他已经说尽了真理，是的，就是那么简单的几句 ——

不要为自己谋私利，而要利益他人；

不要与人争，要谦下包容；

不要太有为，要守静无执。

他已经出关了，那骑牛的背影，越来越远，越来越淡，却越来越深刻……

[诗说]

我讲了这么多大道之言，
听来却不一定人人入耳。
真理不一定悦人耳目，
美言不一定符合真相。

善于言说者无须辩解，
真正的智者从不卖弄，
圣人不会存占有之心，
只会尽量满足众人之愿。

奉献者给出多余甚至所有，
让万事万物都能受益，
更不会伤害诸人诸物，
但自己反倒会因之而丰富。
只因天道重奉献不去掠夺，
圣人精进有为远离功利。

学习我就要用于实践，
能实践才是真正的智慧。

世上万物各有其道，

自然无为才能各尽天年。

日月若失去各自的轨道，

天下就会黑暗无光。

风雨若兴起得不合时宜，

百姓就会因之而遭殃。

天地宏大尚需要节制，

人心更需要休养生息。

圣人总坚守内在的精神，

不让它长期驰骋于外。

饥马在厩中静立之时，

只在寂然无声中打盹，

要是在槽中投以草料，

马上会响起抢夺之声。

内部需要是重要动机，

外部诱因是刺激条件，

圣人处理好二者关系，

才能维持社会的和谐。

损伤精神内守者有二，

外部诱惑和内在的嗜欲。

二者交互作用天翻地覆，

是搅乱内在精神的祸根。

因此我们要学会坚守，

让生活方式与道合一。

一要守虚远离利害得失，

虚己之情虚己之欲，

心虚而能容万物，

于一空之中成就万有。

二要守静不使躁动，

恬淡虚无中应对万象。

最伟大的智慧像一面明镜，

于如如不动中朗朗明明。

三要守清勿使浊污，

一身清气两袖清风。

应世保持公正和客观，

亲近君子而远离小人。

四要守精神没有物累，

于自然无为中积极用功，

顺应大道的自然规律，

不违背自然勉强用功。

五要守平俭以养生，

平心静气诚实做人，

不事奢华摒弃投机，

做平常人守平常心。

六要守真远离虚假，

真心应物无物不真。

学会有节制地生活，

玉壶中安放一片冰心。

七要守易崇尚简朴，

学会应对变化的世界。

无论这世界如何变化，

都不放纵自己变得任性。

八要守法尊重规矩，

效法天地顺乎民心。

外示不冒怪声随波逐流，

内守大道之德和光同尘。

九要守弱不欺弱小，

大巧若拙大智若愚，

当知物强则劳盛极而衰，

圣人守下守贱以应天道。

十要守朴远离奢华，

以素心应对世上红尘。

任滚滚红尘如何啸卷，

我只如婴儿面对母亲。

吟罢了老子心中释然，

千年之情终于能诉尽。

那无边风景我遥遥相望，

垂首却更怜眼前之人。

摘一片心叶献给读者，

弹一首妙曲再付知音。

愿君能好好将它品尝，

更好好实践莫使蒙尘。

跋｜经典的意义在于熏染

　　就像序言所说，这本书讲的是《老子》的精要，所以，虽然书中的每一章都和《老子》原文相呼应，但我并没有对所有内容都详细讲解，而是针对重点内容进行了强调、引申和诗意的阐发。

　　无论是佛经，还是《老子》这样的经典，都有个特点：它的意义是熏染。有时，一个道理并不难懂，一句话就能说完——比如"一切有为法，如梦幻泡影，如露亦如电，应作如是观"。读懂了这句话，也就明白了佛法的精要，佛法的一切智慧，都是从这个核心引申出去的。但佛法的学习，并不是从概念入手的，佛陀不会抛给你一个概念，然后让你牢牢地记住它，因为这没有意义。真正的真理，永远不是一个概念可以涵括的，真理在生活中的运用，也不可能简化成概念。很多时候，真理都只是境界的表述和路标，通过它们，你会知道达到这个境界的人如何看待世界，如何应对万象，如何过自己的一生，如何确定和坚守自己的人生追求。如果你感到陌生，或得到启迪，那么你也许还没有达到这个境界。这时，你可以沿着这些路标，一点点消解自己内心的执着，打碎很多幻觉式的追求，慢慢地擦亮自己的眼睛，让自己也达到这种境界，拥有这样的内心世界——当然，如果你把一些重要的句子当成真言，遇到事情的时候多念念，也是可以的，但它的目的是让你提起正念，而不是理性地按压和约束。当你能在生活的每一个细节中提起正念，将提起正念变成一种生活方式的时候，让你感到痛苦折磨的东西就会越来越少，佛家称之为破除执着，老子称之为"以至于无为"。

《老子》的学习也是这样，你会发现，本书中有几个词经常出现，如清净、无执、低调、守拙、淳朴、柔弱等。这些都是老子智慧的外在呈现，真正地做到这些，需要的不是形式上的模仿，更不是强压，而是明白、放下，让自己达到那个境界，在内在境界中呈现出这些德行。而《老子》也好，本书也好，其中的大部分文字，都是以有形的文字为路标，让你慢慢地看到那个无形的境界，慢慢地进入其中。这是我的很多著作的特点。所以，很多朋友读我的书，都不会只读一遍。读本书我建议你也不要只读一遍，要反反复复地读，好好体会其中的意思。要知道，这本书涵括了老子思想，也涵括了我在吸纳各种优秀文化后的所得，以及我这几十年的经验和历练。这样的书，我只有到了五六十岁的现在才能写得出来，因为，少一点人生阅历，我对《老子》的感触就不会这么深刻。

我也希望孩子们能多读读本书。我希望，读不懂《老子》的孩子，能读懂我的这本书，通过我的书，走入老子的世界，走入那个两千多年前就得到验证的智慧世界。因为，如果孩子们能从很小的时候，就知道自己要拒绝什么，要追求什么，什么是智慧，如何从迎面而来的各种教导中汲取营养、剔除糟粕，那么他们未来的成就必定不可限量——当然，现在有很多父母都看开了，他们不再希望孩子实现什么成就，也不再通过孩子去满足自己的虚荣，他们更希望孩子能快乐地活着，能自主地思考和选择，能做一个挺得起胸膛的人，能拥有一段自己认为有意义、很充实的人生。但做到这些，同样需要孩子们有智慧，尤其在这个欲望横流、信息爆炸的年代，成年人的心都会很容易被外界的声音所裹挟，在不知不觉中变成欲望的傀儡，何况白纸一样的孩子？所以，希望白纸上能画出壮美或甜美的画卷，就需要握笔的人有一定的智慧，能够看透很多虚妄的东西。

何谓虚妄？本书中讲了很多，如果读到这里，你发现有些地方还很模糊的话，可以回头再看看这本书。这本书虽然不薄，但加上序、跋和目录，不过十多万字，多看几遍，也花不了太多的时间，而它可以为你带来的东西，却是多少黄金都换不来的。

承载了智慧的书就是这样，好读也罢，不好读也罢，当你攻克它之后，就会发现这个过程是一种享受。当你能够从中得到享受时，你更会发现，与其找借口去娱乐消遣，不如让自己完全地放松下来，看一本好书。因为，好书会让你的人生变得完全不一样。至少，它可以让你放下压力，放下不必要的期待和追求，放下欲望，发现人生的美好和生活的美好，同时也能接纳生活中很多完美或不完美的现象，这时，你就是自由的。自由并没有多么复杂，也没有多么难以实现。

　　当然，你也可以把这本书当成一般的诗集，或是出于一种好奇的心理打开它。但我相信，能读完本书的人，一定能感受到这本书的独特意义。

　　最后，感谢大家打开了这本书，并且读完了它。是你们的阅读和需要，让我的写作有了意义。也希望我分享的这些个人拙见，能给你们带来一点点好处。这虽然是我的一次尝试，不一定多么成熟，也不一定能很好地完成我的期待，但我付出了所有的真诚，愿我们能在真诚中相遇，这样，我们的相遇就有了意义。

雪　漠

2021年10月定稿于甘肃武威雪漠书院